La collection *Théories et pratiques dans l'enseignement* est dirigée par Gilles Fortier et Clémence Préfontaine

La collection regroupe des ouvrages qui proposent des analyses sur des aspects théoriques et pratiques de l'enseignement, sans restriction quant à la matière enseignée. La collection veut refléter la réalité scolaire et ses aspects didactiques.

Ouvrages parus dans la collection

L'ABANDON SCOLAIRE
par Louise Langevin

AIDES INFORMATISÉES À L'ÉCRITURE
par Christophe Hopper
et Christian Vandendorpe

L'ALPHABÉTISATION
par Hélène Poissant

ANALPHABÈTE OU ALLOGRAPHE?
par Hélène Blais

APPRENDRE DANS DES ENVIRONNEMENTS PÉDAGOGIQUES INFORMATISÉS
sous la direction
de Pierre Bordeleau

À QUAND L'ENSEIGNEMENT?
par Godelieve De Koninck

LA COOPÉRATION DANS LA CLASSE
sous la direction de Marie-France Daniel et
Michael Schleifer

LE CORPS ENSEIGNANT DU QUÉBEC DE 1845 À 1992
par M'hammed Mellouki
et François Melançon

DES ENFANTS QUI PHILOSOPHENT
par Pierre Laurendeau

DES OUTILS POUR APPRENDRE AVEC L'ORDINATEUR
sous la direction de Pierre Bordeleau

L'ÉCOLE ET LES CHANGEMENTS SOCIAUX
sous la direction de Marcelle Hardy

L'ÉDUCATION ET LES MUSÉES
sous la direction de Bernard Lefebvre

L'ÉDUCATION INTÉGRÉE À LA COMMUNAUTÉ
par Lise Saint-Laurent

L'ENSEIGNANT ET LA GESTION DE CLASSE
par Thérèse Nault

ENSEIGNER LE FRANÇAIS
sous la direction de Clémence
Préfontaine et Gilles Fortier

ÉVALUER LE SAVOIR-LIRE
sous la direction de Jean-Yves Boyer,
Jean-Paul Dionne et Patricia Raymond

L'ÉVEIL À L'APPRENTISSAGE DU FRANÇAIS
par Aline Desrochers Brazeau

LES FABLES INFORMATIQUES
par Francis Meynard

FAIRE DU THÉÂTRE DÈS 5 ANS
par Hélène Gauthier

LA FAMILLE ET L'ÉDUCATION DU JEUNE ENFANT
sous la direction de Bernard Terrisse
et Gérald Boutin

LA FORMATION DU JUGEMENT
sous la direction de Michael Schleifer

LA FORMATION FONDAMENTALE
sous la direction de Christiane Gohier

L'INTELLIGENCE DU PETIT ROBERT
par Christel Veyrat

J'APPRENDS À LIRE... AIDEZ-MOI!
par Jacqueline Thériault

LE JEU ÉDUCATIF
par Nicole De Grandmont

LE JEU LUDIQUE
par Nicole De Grandmont

LE JEU PÉDAGOGIQUE
par Nicole De Grandmont

JEUNES DÉLINQUANTS, JEUNES VIOLENTS
par Serge Michalski et Louise Paradis

LA LECTURE ET L'ÉCRITURE
sous la direction de Clémence Préfontaine et
Monique Lebrun

LECTURES PLURIELLES
sous la direction de Norma
Lopez-Therrien

LIBERTÉ SANS LIMITES
par Serge Michalski et Louise Paradis

MATÉRIAUX FRAGMENTAIRES POUR UNE HISTOIRE DE L'UQAM
par Claude Corbo

LES MODÈLES DE CHANGEMENT PLANIFIÉ EN ÉDUCATION
par Lorraine Savoie-Zajc

L'ENSEIGNANT ET LA GESTION DE CLASSE

La collection *Théories et pratiques dans l'enseignement*
(suite)

Le plaisir de questionner en classe de français
par Godelieve De Koninck

Oméga et la communication
par Serge Michalski et Louise Paradis

Oméga et les problèmes de communication
par Serge Michalski et Louise Paradis

Ordinateur, enseignement et apprentissage
sous la direction de Gilles Fortier

Pédagogie du jeu
par Nicole De Grandmont

La pensée et les émotions en mathématiques
par Louise Lafortune et Lise Saint-Pierre

La philosophie et les enfants
par Marie-France Daniel

La planète d'Oméga
par Serge Michalski et Louise Paradis

Pour un enseignement stratégique
par Jacques Tardif

Pour un nouvel enseignement de la grammaire
sous la direction de Suzanne-G. Chartrand

La production de textes
sous la direction de Jean-Yves Boyer, Jean-Paul Dionne et Patricia Raymond

Les processus mentaux et les émotions dans l'apprentissage
par Louise Lafortune et Lise Saint-Pierre

Psychomotricité et pédagogie
par René Bolduc

La question de l'identité
sous la direction de Christiane Gohier et Michael Schleifer

La recherche en éducation
sous la direction de Jacques Chevrier

Le roman d'amour à l'école
par Clémence Préfontaine

Le savoir des enseignants
sous la direction de Clermont Gauthier, M'hammed Mellouki et Maurice Tardif

Savoir, penser et agir
par Jean-Claude Brief

Solitude des autres
sous la direction de Norma Lopez-Therrien

Les technologies et l'enseignement des langues
par Lise Desmarais

Théorie générale de l'information
par Yves de Jocas

Tranches de savoir
par Clermont Gauthier

Violence et délinquance en milieu scolaire
par Serge Michalski et Louise Paradis

Série *Pédagogie universitaire*

Coordonner et planifier les enseignements aux groupes multiples et aux grands groupes
par Michelle Thériault, Robert Couillard, Gilles Gauthier et Marie-Claire Landry

L'encadrement des étudiants
sous la direction de Louise Langevin

L'évaluation de l'enseignement universitaire
par Hélène Poissant

Pour une intégration réussie aux études postsecondaires
par Louise Langevin

Série *Pratiques pédagogiques*

Cahiers pratiques de Québec français
par Aline Desrochers Brazeau

Cahiers Questionner
par Godelieve De Koninck

Je m'aventure en lecture avec l'inspecteur Bagou
par Gilles Fortier

Thérèse Nault

L'ENSEIGNANT ET LA GESTION DE CLASSE

Les Éditions
LOGIQUES

LOGIQUES est une maison d'édition reconnue par les organismes d'État responsables de la culture et des communications.

Nous remercions le Conseil des Arts du Canada, le ministère du Patrimoine canadien et la Société de développement des entreprises culturelles du Québec pour leur appui à notre programme de publication.

Révision linguistique: Chantal Tellier, Claire Morasse
Mise en pages: Mario Labelle
Photos: Christian Hébert
Graphisme de la couverture: Christian Campana
Photo de la couverture: Christian Hébert
Photo de l'auteur: Alain Comtois

Distribution au Canada :
Logidisque inc., 1225, rue de Condé, Montréal (Québec) H3K 2E4
Téléphone : (514) 933-2225 • Télécopieur : (514) 933-2182

Distribution en France :
Librairie du Québec, 30, rue Gay-Lussac, 75005 Paris
Téléphone : (33) 1 43 54 49 02 • Télécopieur : (33) 1 43 54 39 15

Distribution en Belgique :
Diffusion Vander, avenue des Volontaires, 321, B-1150 Bruxelles
Téléphone : (32-2) 762-9804 • Télécopieur : (32-2) 762-0662

Distribution en Suisse :
Diffusion Transat s.a., route des Jeunes, 4 ter C.P. 1210, 1211 Genève 26
Téléphone : (022) 342-7740 • Télécopieur : (022) 343-4646

Les Éditions LOGIQUES
1247, rue de Condé, Montréal (Québec) H3K 2E4
Téléphone : (514) 933-2225 • Télécopieur : (514) 933-3949
Site Web : http://www.logique.com

L'enseignant et la gestion de classe

Dépôt légal : Premier trimestre 1998
Bibliothèque nationale du Québec
Bibliothèque nationale du Canada

ISBN 2-89381-559-6
LX-672

Sommaire

Liste des tableaux

Préface

La gestion de l'enseignement représente la difficulté la plus importante à surmonter lorsqu'un stagiaire commence à enseigner. De multiples recherches ont d'ailleurs démontré que la question du contrôle de la classe constitue un sujet de préoccupation même pour un enseignant expérimenté. En matière de gestion de classe, rien n'est jamais gagné à l'avance: l'équilibre des forces qui permet l'établissement d'un climat de classe harmonieux est constamment en péril. Aussi, l'ouvrage qui nous est présenté par la professeure Thérèse Nault pourra être utile à toute personne engagée dans l'enseignement à quelque ordre que ce soit. Les enseignantes et les enseignants de métier y trouveront une occasion de revoir leur pratique sous un nouveau jour et d'ajouter à leur répertoire des moyens de se tirer de situations problématiques.

L'enseignante d'expérience nous livre ses connaissances et son savoir pratique en la matière: elle a connu des moments de découragement devant des groupes difficiles. Elle nous livre les secrets de son art pour pallier ces situations. Nous rencontrons également la professeure d'université qui a eu l'occasion de côtoyer des centaines d'étudiantes et d'étudiants engagés dans des programmes de formation des maîtres. Elle a alors été à même de constater leurs peurs de perdre le contrôle de la casse et leurs doutes, consécutifs aux échecs vécus, quant à la justesse de leur choix professionnel. L'histoire de l'étudiante qu'elle nomme France, c'est celle de centaines d'autres qui lui ont livré dans des journaux de bord professionnels le récit de leurs échecs et de leurs réussites. Leurs succès, ces étudiantes et étudiants le devaient entre autres au soutien d'enseignantes et d'enseignants qui, comme Mme Nault, prennent la peine de formaliser la nature de leur savoir d'expérience.

La gestion de la classe est considérée dans une organistion de l'enseignement. Elle fait place aux «routines» de même qu'à un «contrôle durant l'action» qui assure la régulation des échanges dans la classe. La motivation à apprendre peut émerger et faire se dissiper les occasions de perturber la dynamique établie. Mme Nault propose une écologie de la classe qui prévient les problèmes plutot que d'avoir à les régler à la pièce.

L'ouvrage qui nous est présenté offre une synthèse des connaissances accumulées sur le sujet par la recherche. La barrière de la langue très souvent nous empêche d'y avoir accès. L'auteure fait ici le lien entre diverses recherches en didactique et les place dans une continuité conceptuelle. Les notes bibliographiques sont nombreuses; elles fournissent un matériel qui permet de poursuivre la réflexion au sujet des conditions qui entourent et sous-tendent l'émergence des problèmes de discipline.

Nous espérons que d'autres enseignantes et enseignants auront, comme Mme Nault a pu le faire, systématiser leur savoir d'expérience afin d'en faire profiter toutes celles et tous ceux qui se sont engagés dans le métier de l'enseignement.

Louise Dupuy-Walker

Avant-propos

La carrière d'un enseignant se vit dans une classe avec des groupes d'élèves. Notre ouvrage se veut un guide pour systématiser l'ensemble des actes que doit gérer l'enseignant pour favoriser des situations d'enseignement-apprentissage. Il cible l'une des principales compétences professionnelles qui contribue à l'efficacité de l'acte d'enseigner. L'apport des écrits scientifiques ainsi que notre expérience en supervision des stagiaires mettent en évidence l'importance d'un ensemble d'éléments qui sont au cœur des difficultés rencontrées dans l'exercice de la profession enseignante et qui constituent ce qu'on peut appeler aujourd'hui la «gestion de classe».

Le présent ouvrage regroupe ces éléments sous trois thèmes, à savoir la planification de situations pédagogiques, l'organisation du fonctionnement en salle de classe et le contrôle durant l'action. Afin de rendre la lecture du texte moins aride, nous avons tenté de concrétiser les situations en créant un personnage appelé France, qui sera présent tout au long de l'exposé et, à l'occasion, nous évoquerons des situations vécues par des étudiants-maîtres pendant leurs stages.

Ce livre s'adresse à la fois à ceux qui veulent embrasser la profession enseignante et aux enseignants en exercice qui voudraient améliorer leur compétence professionnelle en ce domaine. Il pourrait aussi être utile, à l'occasion, aux formateurs de maîtres ainsi qu'à ceux qui auront la responsabilité de conseiller les enseignants dans leur développement professionnel.

Mieux vaut prévenir les problèmes que trouver des solutions une fois qu'ils surviennent. Notre guide ne cherche pas à livrer des recettes miracles ou un ensemble de «trucs» spécifiques à certaines situations d'enseignement ou à certains comportements déviants des élèves. Nous croyons qu'une observation directe des gestes professionnels faits en salle de classe et une réflexion ciblée permettront de décider du choix des moyens à prendre pour s'améliorer dans une situation particulière d'enseignement. Cette approche préventive, plutôt que prescriptible, nous amène à concevoir la compétence à gérer une classe comme un développement d'abord personnalisé, puis perfectionné par des actes réflexifs qui conduisent au professionnalisme. C'est ainsi qu'un enseignant bâtira sa compétence à gérer une classe.

Introduction

Pour France, l'été 1993 fut un été merveilleux. Pour la première fois depuis quatre ans, elle se sentait libre. Elle avait enfin obtenu son diplôme d'enseignement qui lui permettait de convoiter un emploi. Tout ce qui manquait à son bonheur, c'était justement l'obtention d'un contrat et elle attendait une réponse à ses nombreuses demandes d'emploi.

Aujourd'hui, alors qu'il ne reste plus que deux semaines avant la rentrée scolaire, voilà qu'elle vient de recevoir dans son courrier la confirmation tant attendue. Déjà, elle s'imagine en classe avec ses élèves, se laissant bercer par l'euphorie de ce rêve si souvent évoqué.

Le lendemain, à son réveil, cet état de bien-être fait place peu à peu à un sentiment d'angoisse quand elle se rend compte que les murs de classe auxquels elle a si souvent rêvé ainsi que les élèves modèles imaginés seront bientôt remplacés par des réalités inconnues. Cette insécurité qui monte en elle la pousse à se rendre sur place vérifier son local et le matériel dont elle pourra disposer.

Après avoir rencontré son directeur d'école, elle se procure immédiatement toute la documentation disponible sur les matières qu'elle enseignera. Dans les jours qui suivent cette brève visite, elle décide de préparer un cahier dans lequel elle planifie à long terme la répartition de ses programmes d'étude pour les quatre étapes de l'année scolaire. Elle aligne avec beaucoup de soin une colonne d'objectifs d'apprentissage, puis calcule avec grande précision dans une autre colonne les périodes d'enseignement qu'elle prévoit consacrer pour l'atteinte de chacun de ces objectifs et, dans une troisième entrée, elle commence déjà à imaginer les activités et le matériel qu'elle utilisera lors de ses premières semaines de classe.

Il ne reste plus que deux jours maintenant avant l'ouverture des classes. Pour France, pas question d'aller à la plage ou de rendre visite à sa mère dans la magnifique région de La Malbaie; une force inconsciente la pousse à réviser encore une fois sa planification. Malgré un fort sentiment de compétence dans les matières qu'elle enseignera, une inquiétude l'envahit; elle appréhende ce jour de la première rencontre avec ses élèves: Qui sont-ils? Aura-t-elle de la facilité à se faire écouter? À se faire aimer? À les motiver? Ces quelques hésitations ne durent qu'un instant pour France car, devant des situations stressantes de sa vie, elle a toujours su s'en sortir par son dynamisme.

La veille de la rentrée, France se sent prête à passer à l'action et commence à imaginer sa première rencontre. Elle se voit déjà le lendemain matin dans la cour de récréation avec un groupe d'élèves qu'elle doit faire mettre en rangs. Elle pense alors à organiser un système pour que les plus petits soient à l'avant et les plus grands à l'arrière, puis elle cherche aussi une façon de faire garder le silence dans les corridors et, enfin, une fois en classe, comment elle procédera pour distribuer un bureau à chacun des élèves et pour personnaliser son local de classe.

En imaginant ainsi le fil des événements, elle découvre qu'elle doit inventer des règles et des routines qui seront nécessaires pour bien fonctionner avec ses élèves. Elle ouvre alors un autre cahier dans lequel elle se dépêche de consigner les façons de faire dans différentes situations telles que communiquer avec ses élèves, contrôler le groupe, donner les devoirs et les leçons, appuyer le travail en équipe, renforcer les bons comportements, etc.

Puis, le grand jour arrive...

L'histoire de France reflète bien les gestes quotidiens de la vie réelle d'un enseignant, que ce soit lors du premier contact avec un groupe d'élèves ou à chaque jour qui compose une carrière d'enseignant. C'est une situation très différente de toutes les simulations apprises en formation universitaire, ou rêvées dans l'attente de ces lendemains professionnels. C'est la confrontation d'un moi à la réalité que les écrits ont dépeinte comme étant pour l'enseignant débutant le «choc de la réalité», le réveil parfois cauchemardesque qui, devant un groupe d'élèves récalcitrants, ou devant un manque de matériel, d'organisation, de planification, conduit à des déceptions, voire à des découragements trop souvent permanents entraînant dans certains cas l'abandon de la carrière. Pourtant, une situation pédagogique bien préparée en fonction de certains moments cruciaux connus de tous les enseignants expérimentés permettrait aux novices ou même à certains enseignants d'éviter une foule de problèmes. C'est évidemment la maîtrise des actes quotidiens qui assure le succès des carrières professionnelles.

Nous savons que le plaisir d'exercer la profession enseignante dépend à long terme de la maîtrise de cette habileté à gérer une classe comme plusieurs recherches en ce domaine le montrent. Cette habileté peut certes s'acquérir au cours des années d'expérience. Cependant, pour les novices, une orientation systématique sur les principales composantes de la gestion de classe, comme ce guide tentera de l'exposer, peut leur éviter de nombreuses maladresses et déceptions au moment où ils seront devant leurs propres élèves pour démarrer leurs classes ou pour réaliser des activités d'enseignement-apprentissage.

Il faut bien comprendre que la gestion de classe représente l'ensemble des actes réfléchis et séquentiels que pose un enseignant pour produire des apprentissages. Cette habileté à gérer les situations en salle de classe est la conséquence directe d'un bon système de planification qui se traduira dans une organisation consciente des réalités de l'action.

En conséquence, nous développerons dans un premier chapitre les principaux facteurs sur lesquels s'appuie une bonne planification en nous intéressant à la variété des techniques et des stratégies de gestion qui enveloppent les activités d'apprentissage en fonction de l'environnement de la classe et des ressources disponibles.

Dans un deuxième chapitre, nous préciserons les conditions organisationnelles qui entourent les situations pédagogiques sur les plans social, relationnel et matériel. Nous référerons alors à un ensemble de règles et de routines qui forment le système de fonctionnement garant de l'efficacité de l'action en salle de classe.

Le troisième chapitre permettra de vérifier au moment de l'action l'efficacité du système de planification et d'organisation de l'apprentissage mis en place, en soulignant les habiletés de sagacité, de chevauchement, de mobilité, de rythme et de rétroaction essentielles à la conduite de la classe. Il y sera question, entre autres, de la façon d'établir, en collaboration avec ses élèves, un *modus vivendi* en salle de classe.

En complément à ces trois dimensions de la gestion de classe, nous profiterons d'un dernier volet pour décrire le rôle du mécanisme de la pensée réflexive que plusieurs auteurs jugent essentiel dans l'acquisition progressive de la compétence professionnelle à gérer une classe. Nous aurons l'occasion alors de présenter un inventaire des différents éléments qui illustrent la gestion de classe comme cibles de la pensée réflexive.

Chapitre 1

La planification de situations pédagogiques

Peut-on imaginer un enseignant qui se présenterait devant un groupe d'élèves sans savoir d'avance ce qu'il fera? Il est évident qu'une improvisation de la sorte serait source de tentatives désordonnées qui ne mèneraient nulle part. Bien qu'un enseignant connaisse les objectifs de ses programmes d'études, s'il n'a pu anticiper le fil des événements d'une période ou d'une journée de classe, il est peu probable que ses interventions lui permettent d'atteindre les buts visés. Il existe dans nos écoles de telles situations; j'en ai personnellement été témoin à l'occasion d'une recherche sur les stages probatoires dans l'étude de l'insertion professionnelle des enseignants. Par exemple, une direction d'école avait besoin, au pied levé, d'un enseignant remplaçant pour un enseignement de physique en cinquième secondaire; le novice choisi pour cette tâche a dû se présenter sans avoir eu le temps de se préparer. Dans son histoire de pratique, ce novice racontait, avec amertume, qu'il avait perdu deux semaines à réparer les pots cassés lors des premiers contacts avec ses groupes d'élèves. Plusieurs enseignants d'expérience se placent aussi en situation difficile quand ils sont obligés de bousculer leur planification à cause de circonstances incontournables de leur vie.

Dans le cas de France, présenté en introduction de cet ouvrage, on aura remarqué qu'elle était en train de se composer un système de planification en fonction de trois dimensions pédagogiques, à savoir les objectifs d'un programme d'études, les situations d'enseignement-apprentissage et la répartition du contenu dans le temps. Au fur et à mesure que France prendra de l'expérience, elle pourra compléter son système de gestion selon sa personnalité et ses capacités.

Pour bien saisir ce qu'est la planification de situations pédagogiques, nous en offrons la définition suivante:

> C'est une activité qui tend à systématiser la séquence des actions à poser dans le cadre spatio-temporel d'une salle de classe en vue de produire l'apprentissage.

Certains facteurs contextuels jouent un rôle important dans la planification d'un enseignement: ce sont les caractéristiques des élèves, le matériel didactique, la matière enseignée, les stratégies d'enseignement et d'apprentissage, les objectifs et les méthodes d'enseignement. Parmi ces facteurs, l'enseignant considère d'abord la matière, les ressources matérielles et la gestion du temps, puis, en deuxième, les intérêts et les aptitudes des élèves. Ce n'est qu'en troisième lieu qu'il tiendra compte des objectifs, des stratégies, de sa philosophie de l'éducation, des méthodes d'enseignement et d'évaluation selon Taylor (1970, dans Worsham, 1983).

En complément à ces facteurs, nous porterons ici une attention toute particulière à quelques éléments de gestion pour la planification de situations pédagogiques en fonction des objectifs et du contenu des programmes d'études:

- la gestion de la variation des stimuli;
- la gestion de l'équilibre entre les actions de l'enseignant et celles des élèves;
- la gestion des moments critiques dans une journée et dans un enseignement;
- la gestion du temps.

Nous traiterons dans l'ordre chacun de ces éléments en y insérant des exemples de planifications provenant d'étudiants-maîtres pour illustrer les tâches de gestion que comprend la planification de toute situation pédagogique. Nous terminerons en présentant des exercices de réflexion qui permettront au lecteur d'appliquer immédiatement ses connaissances sur ces éléments de la gestion de classe et qui pourraient éventuellement servir d'étude de cas dans une formation à la gestion. Au préalable, il est essentiel d'établir ici un lien entre l'enseignement et la gestion de classe. Ils nous apparaissent intimement associés pour produire l'apprentissage.

Bien que plusieurs études démontrent que les enseignants ne présentent pas nécessairement leurs objectifs par écrit, il semble qu'ils en tiennent compte au moment où ils font la planification d'un enseignement (Worsham, 1983). Toutefois, les leçons se déroulent mieux, tant sur le plan de la motivation que sur celui de la compréhension, quand l'enseignant commence son cours en communiquant les objectifs et le contenu aux élèves. Ainsi, l'élève saurait déjà quel comportement il doit développer à la fin d'un enseignement ou d'une séquence de leçons. Lorsqu'un enseignant présente sa planification à long terme en début d'année, il devra identifier l'objectif général de son programme d'études et situer les élèves globalement, puis partiellement, par rapport au contenu à étudier.

Comme ce programme d'études fait partie d'un cursus disciplinaire, l'enseignant situera aussi l'élève dans le continuum de sa discipline depuis le primaire jusqu'à la fin du cours secondaire. Aussi, l'enseignant présentera les interrelations avec d'autres disciplines connexes ou d'autres programmes d'études. Par exemple, l'enseignant en charge de groupes d'élèves de troisième secondaire en géographie a intérêt à connaître les programmes de première et cinquième secondaires et celui des sciences humaines du primaire. En fait, l'enseignant devra être capable de cerner ce que ses élèves devraient connaître et aider ces derniers à établir des liens entre les différents apprentissages qu'ils ont faits ou qu'ils feront dans les matières qui leur seront enseignées.

Le temps d'apprentissage, le degré de complexité et l'ordre chronologique des objectifs revêtent une grande importance dans la gestion des objectifs lors de la planification d'un enseignement. Les programmes donnent l'impression, vu l'organisation de leur contenu, que les objectifs doivent être atteints l'un à la suite de l'autre. Parfois, c'est l'enseignant qui décide de choisir le moment propice pour enseigner certains objectifs. La plupart des programmes d'études suggèrent aussi un minutage indiquant à l'enseignant combien de temps il doit accorder à l'enseignement de chacune des disciplines dans le cursus scolaire d'un élève. Cependant, l'enseignant doit aussi tenir compte de la réalité de ses groupes. En ce sens, après avoir vérifié les préalables en début d'année, l'enseignant sera amené à modifier le temps accordé aux objectifs en fonction des connaissances antérieures des élèves et de leur rythme d'apprentissage. Le temps d'apprentissage variera aussi en fonction du niveau de complexité des objectifs par rapport au type d'apprentissage visé (connaissance, habileté, technique ou attitude).

Il a été démontré que la motivation de l'élève joue un rôle important dans la gestion en salle de classe parce qu'elle sous-entend une plus grande participation de sa part. La motivation et la compréhension de l'élève se trouvent améliorées quand la présentation du contenu repose sur trois variables importantes, à savoir la clarté, l'organisation logique et l'illustration (Brophy, 1984). Nous savons qu'un contenu présenté selon une séquence logique favorise l'apprentissage et la «rétention» chez les élèves. De la même manière, l'illustration de l'information par des exemples et par des démonstrations amplifie la motivation et la compréhension.

L'identification des préalables est vue comme un élément très important de la gestion du contenu d'un programme d'études (Burton et Rousseau, 1984). Ainsi, l'enseignant doit vérifier ce que ses élèves devraient connaître au début de l'année scolaire et avant l'enseignement de tout nouveau contenu.

De ce fait, il serait en mesure d'identifier les objectifs sur lesquels il devra insister et ceux qu'il devra seulement réviser. L'administration de tests en début d'année scolaire portant sur les acquis précédents permettrait de découvrir les lacunes des élèves (Tye, 1984). Il existe d'autres moyens pour vérifier les préalables, par exemple, étudier les dossiers des élèves, les questionner ou encore leur faire accomplir des tâches en rapport avec les objectifs à vérifier. De cette façon, l'enseignant pourra planifier et organiser son cours de manière plus adaptée aux besoins des élèves. Il assurera ainsi une progression des apprentissages en évitant de perdre du temps et d'exposer ses élèves à des risques d'échec et, par conséquent, à une démotivation qui pourrait être à l'origine de difficultés sur le plan de la gestion en salle de classe.

Si un enseignant omet de vérifier les préalables de ses élèves et, de ce fait, qu'il leur assigne une tâche trop facile, les élèves risquent de s'ennuyer, car ils voient en cela une répétition. Il en est de même pour une tâche trop difficile ou trop rigide au sens de l'élève (c'est-à-dire une tâche pour l'accomplissement de laquelle il ne lui est pas permis d'emprunter différentes voies, ou encore une tâche qu'il ne peut modifier ou pour laquelle il ne lui est pas permis de changer les conditions ou qu'il ne peut réaliser), car elle aura pour effet d'accroître le stress plutôt que de lui permettre de s'adapter. L'élève aura alors l'impression de subir la tâche en question. En effet, quand l'élève se trouve devant une tâche trop difficile, il se produit chez lui une réaction semblable à celle d'un combat intérieur: la perception négative que l'élève développe de lui-même vient entraver sa volonté d'accomplir la tâche (Rohrkemper et Corno, 1988). Dans les deux cas, il y aura perte de temps, car l'enseignant — en voyant le nombre d'échecs — devra reconsidérer sa planification. La progression se trouvera ainsi interrompue. Les élèves subiront une déstabilisation sur le plan des apprentissages et donc, une diminution de la motivation, ce qui risque d'entraîner des problèmes d'indiscipline.

1.1 La gestion de la variation des stimuli

La variation des stimuli favorise l'attention des élèves, laquelle maintient l'intérêt vers un objet d'apprentissage. La variété dans les méthodes d'enseignement et du matériel constitue un aspect important à considérer lors de la planification d'un enseignement pour assurer une meilleure gestion de la classe. Il a été démontré que le fait de varier les méthodes d'enseignement était lié à un niveau plus élevé de concentration durant le travail individuel et associé à des attitudes positives chez les élèves ainsi qu'à de meilleurs résultats (Worsham, 1983). Ce sont là des choix que l'enseignant se donne. Ainsi, il pourra faire preuve d'une plus grande souplesse devant la nature imprévisible de ses interactions avec ses élèves.

Dans la planification de situations pédagogiques, l'enseignant doit également penser au matériel didactique qu'il utilisera en relation avec ses méthodes d'enseignement. En général, les enseignants ont recours à un éventail plutôt restreint de matériel didactique et de méthodes d'enseignement. Ils utilisent surtout des manuels scolaires et des feuilles d'exercices comme matériel didactique. En ce qui concerne les types de méthodes, celles-ci prennent généralement la forme d'un cours magistral ou elles consistent à répondre à des questions écrites. Voici ce qu'un novice me racontait à ce sujet:

> Mes planifications sont organisées de façon «routinière»: sensibilisation, exposé magistral, exercices d'application. Par peur d'intégrer d'autres méthodes d'enseignement, je me rends compte que j'ai établi une routine qui devient monotone pour les élèves (et même pour moi!).

Le peu d'innovation en matière de méthodes d'enseignement et de matériel didactique dont font preuve les enseignants est imputable notamment à trois raisons: les budgets limités qui restreignent l'acquisition de matériel complémentaire, une méconnaissance quant à la manipulation du nouveau matériel et la mise en œuvre de nouvelles méthodes, la peur de perdre le «contrôle» de la classe en introduisant de nouvelles méthodes telles que sketches, débats, simulations (Tye, 1984). Par conséquent, l'enseignant fait ce qu'il a à faire comme dans tout métier, il se met sur le pilote automatique sans réfléchir aux actions faites pour remodeler ses futures actions. Le mécanisme de la pensée réflexive est latent. C'est comme si l'enseignant devait toujours avancer sans regarder en arrière. Il est au front, les cours se succèdent, les élèves passent et l'enseignant recommence sans cesse dans une grande solitude professionnelle. Pour lutter contre cette stagnation qui le guette, l'enseignant doit demeurer éveillé aux innovations pédagogiques s'il ne veut pas scléroser le système d'éducation.

Par exemple, l'enseignant pourrait être membre de son association professionnelle, participer à des congrès, assister à des productions théâtrales, cinématographiques et musicales, et lire. Enfin, nous savons qu'il existe un lien direct entre les styles d'enseignement et la réussite en éducation; ce lien est nourri par cette capacité qu'a l'enseignant de s'adapter, de s'ajuster et de trouver des solutions à des situations nuisibles à l'apprentissage (Mohr, 1995).

Le fait de trouver des explications à cet état de choses n'excuse toutefois pas la situation, car les élèves expriment une plus grande satisfaction dans les classes où les enseignants font usage de méthodes d'enseignement innovatrices et variées (Moos et Trikett, 1974).

1.2 La gestion de la participation de l'enseignant et des élèves en salle de classe

Il semble que, pour assurer une gestion efficace, l'enseignant doit non seulement prévoir les exigences reliées à sa participation, mais aussi organiser en séquences les exigences sur le plan de la participation des élèves. Le scénario d'un enseignement doit prévoir une alternance entre les actions de l'enseignant et celles des élèves. «L'indicateur d'une bonne gestion est, selon Doyle (1986) le degré de coopération entre les élèves et entre les élèves et l'enseignant (cité dans Legendre, 1988)». On a démontré (Weade et Evertson, 1988) que l'efficacité de la gestion en enseignement et la réussite des élèves étaient liées aux deux facteurs suivants:

1. La progression des exigences académiques dans l'évolution de la structure d'un enseignement est séquentielle et précise (le niveau de complexité augmentant graduellement);
2. Les exigences reliées à l'organisation sociale et matérielle sont réduites au minimum pour ne pas noyer l'apprentissage. L'enseignant ne devrait pas demander à l'élève trop de changements dans le déroulement d'une leçon. Il devrait établir des routines sur le plan des interventions pour signifier le qui, le quand, le où et le comment. Il en sera de même pour les déplacements en salle de classe ainsi que pour l'obtention du matériel nécessaire.

Le *Tableau 1* illustre bien cet élément important de gestion de la participation de l'enseignant et des élèves en salle de classe.

Tableau 1

Équilibre entre les actions de l'enseignant et celles de l'élève

Étapes	Nombre de changements	Actions de l'enseignant	Actions de l'élève
0. Organisation spatiale et matérielle Menu		• dépose une grammaire sur le bureau de chaque élève • écrit le menu au tableau: — Devinette: Mon 1er est une conjonction; mon 2e est le 5e mois de l'année; mon tout est un verbe adoré. Qui suis-je? — Cahier d'exercices en français p. 25 — Grammaire p. 20	• lit le menu • se procure le matériel
1 Déclencheur (Devinette)	2	• choisit un élève au hasard ↑	• répond à la devinette ↑
2 Lecture de la règle dans la grammaire p. 20	2	• désigne un élève ayant la main levée ↑	• lit la règle et identifie le temps du verbe «aimer» ↑
3 Application de la règle (cahier p. 25)	2	• choisit un élève au hasard ↑	• lit une phrase et accorde le verbe ↑
	6	3	3

Adapté de Weade et Evertson, 1988, p. 119.

La flèche indique qu'un seul changement se produit sur le plan des actions de l'enseignant de même que celles des élèves, ce qui fait un total de deux changements par étape. Dans cette figure, l'enseignant (considéré comme un gestionnaire efficace) arrive à un équilibre entre sa participation et celle de l'élève. Effectivement, cette figure montre que les exigences reliées au bon déroulement d'un enseignement furent planifiées à l'avance.

Si, par exemple, l'enseignant n'avait pas écrit le menu, il ajouterait l'action de l'écrire au tableau à l'étape 1; du même coup s'ajouteraient les exigences pour l'élève désigné d'aller chercher une grammaire et de l'ouvrir à la page précisée à l'étape 2. Il en serait de même pour la tâche dans le cahier d'exercices à l'étape 3.

Le *Tableau 2* met l'accent sur les exigences reliées à la participation sociale (matériel) plutôt que sur la participation académique. Cet ajout d'exigences diminue le temps réel d'apprentissage et, par conséquent, peut entraîner des problèmes de gestion.

Tableau 2
Déséquilibre entre les actions de l'enseignant et celles de l'élève

Étapes	Nombre de changements	Actions de l'enseignant	Actions de l'élève
1 Présentation de la règle	3	• écrit le verbe «aimer» au tableau • choisit un élève au hasard ↑ ↑	• identifie le participe passé du verbe «aimer» ↑
2 Lecture de la règle dans la grammaire	5	• procurez-vous une grammaire • désigne un élève ayant la main levée ↑ ↑	• va chercher une grammaire • l'ouvre à la p. 20, nº 5 • identifie le temps du verbe «aimer» ↑ ↑ ↑
3 Application de la règle	4	• «Sortez votre cahier d'exercices.» • «Ouvrez-le à la p. 25.» • choisit un élève au hasard ↑ ↑ ↑	• lit une phrase et accorde le verbe «aimer» ↑
	12	7	5

Adapté de Weade et Evertson, 1988, p. 119.

Un enseignant-planificateur efficace est celui qui anticipe les différentes actions dans le déroulement d'un enseignement, qui établit un équilibre entre ses actions et celles des élèves et qui les inclut dans la planification des situations pédagogiques.

1.3 La gestion d'un enseignement en fonction du moment de la journée

Une bonne planification peut aussi être perturbée par des événements forts qui font partie d'une journée normale de classe. Les première et dernière périodes d'une journée d'école, le vendredi après-midi, ainsi qu'une période suivant une activité intense, telle un cours d'éducation physique, sont rapportées comme des moments difficiles sur le plan de la gestion des groupes. Certaines études se sont penchées sur les problèmes associés à la réalisation d'une tâche d'apprentissage après une période d'activité physique, une récréation ou un dîner. Il a été observé que le taux de participation des élèves au début d'une tâche académique est particulièrement faible après une récréation (Gump, 1967 dans Doyle, 1986). De la même manière, le fait de raconter une histoire aux élèves immédiatement après la récréation est associé à un faible taux d'écoute et de participation (Krantz et Risley, 1977 dans Doyle, 1986). Par contre, le taux d'écoute augmente avec l'insertion d'une période de repos entre la récréation et cette activité.

Il est donc nécessaire que l'enseignant, dans la planification de situations pédagogiques, soit conscient des ajustements à apporter en fonction du moment de la journée afin d'obtenir de ses élèves une participation maximale. L'enseignant sait également qu'un faible taux de participation conduit souvent l'élève à manifester des comportements inacceptables. Il sait de plus qu'un grand nombre de réformes en éducation lui suggèrent d'adopter une approche pédagogique qui impliquerait davantage les élèves dans leur apprentissage tout en développant chez ces derniers des habiletés de réflexion et de coopération (Gloeckner, Love et Mallette, 1995).

1.4 La gestion des moments critiques dans un enseignement

Il n'y a pas que des moments de la journée qui peuvent influencer le déroulement d'un enseignement. Il existe aussi d'autres moments considérés comme critiques; ce sont les transitions: l'ouverture, le passage d'une activité à une autre et la fermeture d'un enseignement.

1.4.1 L'ouverture d'un enseignement

L'ouverture est le moment qui permet de créer le climat d'apprentissage dont dépend tout le déroulement d'un enseignement. Elle comprend la planification des actions suivantes:

- l'organisation spatiale et matérielle du local;
- la façon d'accueillir les élèves;
- l'administration des tâches routinières telles que la prise des présences, la présentation des annonces, etc.;
- les manières de susciter l'intérêt des élèves par: un menu écrit au tableau avant l'arrivée des élèves, un déclencheur (mise en situation) en lien avec l'objectif visé, un rappel des connaissances, une schématisation des contenus et enfin, une présentation de l'utilité du concept à l'étude, etc.

L'accueil des élèves peut se faire dans la classe ou à l'extérieur de la classe. Chaque élève doit sentir qu'il est le bienvenu. Des routines doivent alors être établies quand les élèves entrent en classe. Par exemple, prendre en note le devoir et l'étude préalablement écrits au tableau, sortir le matériel nécessaire pour le cours, etc. Aussi, un endroit fixe devrait être prévu dans la classe où prendre et où remettre le matériel, les devoirs, les polycopies.

Accueil des élèves

La prise des présences est une tâche administrative obligatoire. Il est du devoir de l'enseignant de confirmer les présences dans ses groupes. Il existe différentes procédures et des formulaires à remplir dans les établissements scolaires. Réciter la litanie des noms de chaque groupe d'élèves s'avère une répétition ennuyeuse et monotone qui occasionne une perte de temps et des problèmes de camouflage lorsqu'un élève répond à la place d'un autre. Le recours à un plan de classe est une procédure plus efficace. Elle exige que les élèves se placent toujours au même endroit en entrant en classe.

La communication des annonces ou des nouvelles provenant de différentes sources (faits d'actualité, direction, enseignant ou élèves) pourrait se faire oralement ou par écrit. Par exemple, un babillard installé en permanence permettrait aux élèves d'en prendre connaissance avant le début de chaque enseignement.

Une autre technique jugée efficace dans l'ouverture d'une leçon est le menu. Il semble être un excellent aide-mémoire pour l'enseignant. Le menu est une présentation écrite au tableau ou distribuée sur feuilles polycopiées, laquelle résume les étapes d'un enseignement, et qui peut aussi préciser le matériel nécessaire ainsi que la durée, les consignes et les étapes nécessaires à la réalisation des tâches d'apprentissage. Il peut aussi être présenté oralement à l'ouverture d'une leçon et, par la suite, être réutilisé tout au long du déroulement d'un enseignement. Un tableau-menu pourrait même être aménagé dans la salle de classe. L'utilisation du menu comporte des avantages certains:

- il permet de situer les élèves dans le déroulement du présent enseignement et des précédents;
- il favorise le développement de l'autonomie dans le travail, car l'élève sait ce qu'il aura à faire et comment le faire;
- il facilite l'implication de l'élève, car il aura une place dans le menu;
- il pourrait servir de guide pour la prise de notes en y insérant les titres et sous-titres du manuel de base.

Voici un exemple de menu pour un atelier portant sur la gestion de classe lors d'une rencontre avec des enseignants débutants:

Menu
(6e rencontre)

6.1 Revoir les contenus des cinq rencontres (voir schéma sur la gestion de classe): 5 minutes

6.2 Concrétiser la composante Planification:

- compléter un plan de cours en inscrivant les actions à faire par l'enseignant et par les élèves: 25 minutes.

Pause: 15 minutes

6.3 L'ouverture des classes en début d'année:

a) mise en commun de nos expériences;

b) suggestions de deux activités à vivre lors de l'ouverture des classes:

— la carte d'identité: 15 minutes
— le Graffiti de la rentrée: 30 minutes

6.4 Matériel

- schéma sur la gestion de classe;
- texte sur la composante Planification;
- modèle de plans de cours;
- 12 cartes d'identité;
- 4 feuilles blanches (type papier journal);
- protocoles pour les deux activités;
- bibliographie sur la gestion de classe.

Bonne gestion de vos activités d'enseignement!

Thérèse Nault

Dans cet exemple, nous retrouvons les éléments de base composant un menu, à savoir le contenu d'un enseignement et son déroulement, les tâches d'apprentissage avec leur durée et le matériel nécessaire. La numérotation pour la prise de notes y apparaît même (les subdivisions de la sixième rencontre).

Pour illustrer l'ouverture d'un enseignement, voici un extrait de l'activité «Les types de questions» présenté au *Tableau 3*.

Tableau 3

Exemple d'ouverture d'un enseignement extrait de l'activité «Les types de questions»

Déroulement (Étapes)	Actions de l'enseignant	Actions de l'élève
0. Organisation spatiale et matérielle	• prépare huit enveloppes de vingt énoncés de questions de types différents • prépare 32 cartons numérotés de 1 à 8 • regroupe les bureaux en îlots de quatre • dépose sur chaque îlot une grande feuille numérotée de 1 à 8, divisée en huit sections • écrit le menu au tableau	
1. Ouverture 1.1 Accueil 1.2 Objectif 1.3 Situer le contenu dans le programme et son utilité 1.4 Présentation du matériel	• à la porte du local, salue chaque élève et remet un numéro • vérifie si chacun va à sa place • lit le menu • «À la fin du cours, vous serez capables de discriminer les huit types de questions.» • «Cette activité fait partie du cours *Mesure et évaluation des apprentissages en 3e année du baccalauréat de l'enseignement du secondaire*. Il sera utile pour la construction d'un examen sommatif.» • décrit le matériel	• retrouve le bureau correspondant à son numéro • écoute et demande des explications, s'il y a lieu

Voici les commentaires d'une stagiaire en formation initiale portant sur l'analyse de l'ouverture d'un enseignement au secondaire:

> Lors du visionnement de mon ouverture, j'ai remarqué que je n'avais pas lu mon menu immédiatement après ma salutation. Je l'ai bien présenté aux élèves, mais un peu plus tard dans le cours. J'aurais peut-être accroché immédiatement les élèves en ramenant leur attention sur les activités prévues. J'ai noté aussi que j'étais à la porte avant que la cloche ne sonne et que j'avais pris le temps d'accueillir les élèves et de répondre à leurs questions.

1.4.2 Le passage d'une activité à une autre

En plus de tenir compte de l'ouverture d'un enseignement, il faut aussi planifier les moments d'arrêt ou de changements entre les activités. Ce sont des moments de transition entre la fin d'une activité et le début d'une autre, provoqués par une directive de l'enseignant à l'endroit de ses élèves. Les transitions sont la cause de la majorité des problèmes de discipline qu'éprouvent certains enseignants au cours de leur carrière. En effet, les comportements inacceptables survenant durant les moments de transition sont presque deux fois plus nombreux que durant les autres moments d'un enseignement. En fait, les périodes transitoires entre les activités peuvent donner une bonne idée du rythme et du taux de participation des élèves dans une classe. Les transitions peuvent aussi perturber le rythme d'une leçon si elles n'ont pas été planifiées.

Habileté à maintenir un rythme régulier en salle de classe

Le bon déroulement d'un enseignement repose sur le maintien d'un rythme régulier, lequel dépend de deux facteurs qui jouent un rôle prédominant en gestion de classe. Il s'agit, d'une part, des transitions et, d'autre part, de la continuité dans les systèmes de signaux. Quand l'un ou l'autre de ces facteurs fait défaut, il s'ensuit des ruptures dans le déroulement de l'action, et, en conséquence, il devient nécessaire de recourir aux règlements puisque l'ordre de la classe se trouve perturbé et ce, même dans les écoles caractérisées par une discipline sévère.

L'absence d'«à-coups» dans le déroulement d'un enseignement permet de maintenir le momentum lorsque les élèves sont au travail (Kounin, 1970 dans Arlin, 1979). Les «à-coups» sont des actions de l'enseignant qui entraînent des ruptures ou des coupures discordantes dans le déroulement des activités. En fait, cela réfère à des situations où l'enseignant détourne l'attention des élèves pendant une activité dans laquelle ils sont engagés. Cela se produit, par exemple, chez l'enseignant qui ne prévoit pas la fin d'une période et qui, pris au dépourvu par le son de la cloche, se voit dans l'obligation de passer un message de dernière minute pendant que les élèves se précipitent hors de la classe. Il obtient alors difficilement leur attention. De même de telles interruptions dans le déroulement peuvent se produire à cause d'un «flip-flop», c'est-à-dire quand l'enseignant met fin à une activité, en commence une autre, puis revient à l'activité précédente en disant, par exemple: «En passant, j'ai oublié de vous dire durant la dictée d'apprendre les mots suivants en devoir...»

La régularité est l'absence de ralentissements, l'absence d'actions de l'enseignant susceptibles de ralentir le rythme des activités, de freiner le mouvement ou de produire ce qu'on appelle des «longueurs». Comme les transitions peuvent, par définition, nuire sérieusement au déroulement de l'action, il peut être difficile de maintenir le momentum durant les changements d'activités. Les commentaires de cette stagiaire montrent qu'elle a appris à contrôler les transitions:

> Pour faire les transitions, il faut vraiment préparer les élèves, car elles risquent de perdre le fil du cours. [...] Il est important que les élèves sentent que l'enseignant est prêt aussi et que tout le matériel soit sous la main, car les élèves profiteront de ce temps mort.

La continuité dans le système de signaux est le second facteur qui permet de maintenir un rythme régulier en salle de classe. Ce système est un code explicite et constant qui accompagne les transitions (Kounin et Gump, 1974). Les signaux sont des instructions à l'endroit des élèves qui, dans une situation particulière, prescrivent un certain comportement. Il y aura continuité dans le système de signaux quand une action et son résultat immédiat donnent l'impulsion à l'action suivante, produisant une sorte d'effet d'entraînement. Dans ce cas, les élèves savent exactement ce qu'ils ont à faire et, une fois les routines et les procédures établies au début de l'année, l'enseignant n'a qu'à répéter à l'occasion son système de signaux. Il est certain qu'au début, l'enseignant pourra exiger des élèves qu'ils recommencent ce qu'il exige d'eux (par exemple, s'ils vont replacer leurs livres sur l'étagère de façon inappropriée, l'enseignant peut leur demander de retourner à leur place et de recommencer) mais, à la longue, une économie de temps se fera sentir. Le stagiaire suivant témoigne d'un système de signaux instable:

> Lorsque la classe était dissipée, j'ai essayé d'attendre le silence. Le problème c'est qu'on risque de l'attendre longtemps. [...] Je changeais trop souvent mes moyens de leur faire comprendre que je voulais le silence, ce qui fait que les élèves ne savaient pas à quoi s'attendre.

Les gestionnaires efficaces qui réussissent à contrôler le rythme dans le déroulement d'un enseignement arrivent en classe bien préparés et assurent un système de signaux continus. Il n'y a pas de temps mort. L'enseignant n'a pas besoin de s'arrêter pour aller chercher un objet qui n'est pas prêt au moment voulu, ou pour consulter un manuel (Brophy, 1974). On peut maintenir le rythme de l'action grâce à une bonne préparation et à des habiletés de gestion qui réduisent au minimum les comportements perturbateurs et assurent le déroulement continu d'une leçon. Cela vaut également pour les habiletés à planifier et à déterminer le moment et la durée des transitions.

Habileté à planifier des transitions

La planification des transitions comprend la structuration des actions suivantes: transmettre les consignes pour les déplacements, pour l'utilisation du matériel, énoncer les étapes de la tâche d'apprentissage ainsi que sa durée, etc. Les transitions peuvent être structurées, planifiées, sans trop d'effort, pour réduire au minimum les comportements perturbateurs. Si les élèves savent ce qu'ils ont à faire pour une activité, souvent ils vont le faire de façon disciplinée et autonome. En ce sens, cet autre stagiaire est devenu plus précis dans la façon de transmettre des consignes:

> Le moyen que j'ai trouvé le plus efficace pour éviter la confusion, c'est d'écrire les consignes au tableau au fur et à mesure qu'elles sont dites. [...] Les consignes sont alors toutes données et l'on est certain que les élèves n'auront rien oublié. Un rappel verbal est toujours efficace.

Il apparaît que les transitions se révèlent efficaces (perturbation minimale) quand l'enseignant met fin à une activité avant d'en commencer une autre. Dans ce cas, il annonce la transition et attend un certain temps pour s'assurer de l'attention des élèves. Une technique fréquemment utilisée avant de changer d'activité (par exemple, passage d'un travail individuel à un exposé magistral) consiste à dire: «Déposez vos crayons et regardez-moi!», puis à rappeler à l'ordre les élèves qui ne respectent pas la consigne. Quand l'enseignant utilise cette technique sans s'être assuré que tous les élèves sont bien à l'écoute avant de commencer à donner les directives pour la nouvelle activité, il se retrouve souvent devant une classe où de nombreux élèves poursuivent l'activité précédente pendant la communication des directives. Dans ce cas, les élèves inattentifs sont incapables d'entreprendre la nouvelle activité et doivent, par conséquent, questionner l'enseignant sur les consignes déjà mentionnées. C'est alors que le déroulement de l'enseignement est interrompu.

Les transitions se font en douceur quand les interventions de l'enseignant, en périphérie de la tâche d'apprentissage, sont minimales et séquentielles. Elles sont observées, par exemple, quand l'enseignant ne voit pas venir la fin d'une période et ne prépare pas ses élèves en conséquence. Dans ce cas, n'ayant pu fermer la période comme il le voulait avant que la cloche sonne, l'enseignant dira quelque chose comme: «Vous pouvez y aller!» et les élèves se précipiteront dans le corridor. Ensuite, l'enseignant se rappellera qu'il avait à faire un message aux élèves et interviendra alors parmi la cohue. Cet exemple démontre combien il est important de préparer les élèves aux transitions. Un exemple de transition bien gérée serait: «Dans cinq minutes nous allons commencer une dictée. Finissez vos exercices. Je vais vous dire à quel moment ranger votre matériel» ou «À la fin d'un cours, je vous demande de rester à votre place, car j'aurai un message important à vous communiquer.» (Arlin, 1979)

Habileté à déterminer le moment des transitions

Comme il en a été fait mention précédemment, les transitions ont un effet considérable sur le maintien du rythme dans une classe. De plus, elles procurent aux élèves une rétroaction quant à leur propre rythme de travail et d'apprentissage. Par exemple, si, au moment d'une transition, un élève a toujours du retard, il en conclura qu'il devra désormais travailler plus rapidement. Parfois, les novices qui réalisent les transitions les plus efficaces semblent déterminer implicitement le moment des transitions en se fiant à un élève représentatif du temps requis pour réaliser les tâches. Cet élève est probablement identifiable à partir de commentaires tels que: «Quand Paul aura trouvé la bonne réponse, tout le monde devrait avoir terminé.»

Également, pour déterminer le moment des transitions, les enseignants utilisent principalement comme critère les réactions du groupe. Par exemple, dans un groupe hétérogène, de nombreux élèves forts risquent de s'ennuyer à force d'attendre que les autres aient terminé le travail tandis que les élèves n'ayant pas terminé le travail peuvent percevoir les transitions comme étant trop abruptes. Dans ce cas, il pourra s'avérer difficile d'obtenir l'attention des élèves à l'égard de la nouvelle activité, car il se peut qu'ils tentent encore de terminer l'activité précédente ou qu'ils aient complètement décroché du cours. Voici un autre témoignage d'un stagiaire qui illustre bien cette habileté à déterminer le moment approprié pour assurer le passage d'une activité à une autre:

> [...] La transition vers une nouvelle activité s'est révélée trop hâtive pour certaines élèves qui terminaient un travail au moment de l'émission des consignes, ou bien les consignes n'ont pas été assimilées par d'autres élèves qui n'étaient pas attentives. [...] Ce problème s'est particulièrement manifesté avec des groupes composés d'élèves de profils variés; j'avais plus de problèmes avec les élèves placées à l'arrière et sur les côtés de la classe...

L'enseignant peut aussi recourir au groupe d'élèves pour vérifier le degré de coopération envisagé durant les activités. Ainsi, il pourrait effectuer des transitions au moment où le groupe ciblé manifesterait une baisse réelle de coopération. Les enseignants en général sont incapables d'expliquer les fondements de leurs décisions dans de telles situations (Barr, 1974, 1975 dans Arlin, 1979). Il est probable qu'inconsciemment les enseignants réagissent en fonction de nombreux facteurs tel un signe d'ennui ou d'intérêt chez les élèves.

Nous pouvons conclure que le fait de déterminer le moment des transitions à partir de la «lecture précise» des réactions d'un élève ou d'un groupe d'élèves (servant de critère pour justifier une transition) est un indicateur qui aide à maintenir la régularité du rythme durant un enseignement et entre des enseignements. Dans le cas contraire, les transitions pourraient être accompagnées de comportements perturbateurs.

Habileté à prévoir la durée des transitions

Une fois la planification et le moment de la transition fixés, il faudra prévoir la durée de cette transition. Ce temps variera en fonction de deux types de transitions: les unes mineures et les autres majeures. Les premières se produisent entre les différentes interventions lors du tour de parole, tandis que les secondes ont lieu entre les activités ou les parties d'un enseignement. La durée des transitions majeures dépend généralement de l'ampleur des changements à apporter. Par exemple, un changement de travail sans modification de structure du groupe ne nécessite ordinairement qu'une brève transition commandée par des signaux clés (Hargreaves, 1975 dans Arlin, 1979).

Aménagement de la classe lors d'une transition

En revanche, un réaménagement de la classe (par exemple, passage d'un travail individuel à un travail en sous-groupes) exige plus de temps et, dans ce cas, les enseignants ont recours à un grand nombre de consignes pour maintenir l'ordre jusqu'à ce que la prochaine activité débute. Au secondaire, toutefois, les transitions occupent moins de temps qu'au primaire étant donné que l'aménagement physique demeure sensiblement le même entre les périodes d'enseignement.

Le rythme d'apprentissage des élèves peut aussi affecter la durée des transitions. Au premier cycle du secondaire, les transitions sont plus nombreuses dans les classes caractérisées par un rythme d'apprentissage plus rapide, mais la durée moyenne d'une transition et le temps total accordé à cette fin sont plus élevés dans les classes plus faibles (Evertson, 1982 dans Doyle, 1986). Nous rapportons ici la situation d'un enseignant qui observe le rythme de son groupe, stimule les retardataires et suscite la participation:

> Dans les groupes composés d'élèves de profils variés, c'est-à-dire n'apprenant pas au même rythme, j'établissais une transition trop rapide d'une activité à l'autre. Des élèves protestaient parce qu'elles n'avaient pas compris les directives associées à la nouvelle activité: soit elles étaient encore en train de terminer d'inscrire des notes dans leur cahier ou d'essayer de comprendre la notion précédente, soit elles n'étaient tout simplement pas attentives.

Nous illustrons par les réflexions de cette stagiaire la gestion de l'ensemble des actions pour vivre des transitions efficaces:

> Je remarque quelques lacunes dans l'analyse de ma transmission de consignes. Lorsque j'ai présenté la tâche à réaliser, j'ai dit aux élèves ce que serait l'application de la théorie vue durant la période cours. Ainsi, les élèves sentent que la tâche a un sens. Par la suite, j'ai précisé qu'il s'agissait d'exercices portant sur les subordonnées circonstancielles que l'on retrouve dans leur cahier de grammaire aux pages 16 à 20, ce qui correspond aux activités 13-15-16 si je me

rappelle bien. Je leur ai dit de ne pas faire l'activité 14 et j'ai expliqué pourquoi. J'ai également précisé que c'était un travail individuel et qu'ils avaient le reste de la période pour le faire. Je leur ai mentionné que les exercices pouvaient aussi être faits à la maison, à condition qu'ils lisent jusqu'à la fin de la période. C'est une routine qui fut instaurée dès le début de l'année par mon enseignant associé. Finalement, j'ai dit que les exercices allaient être corrigés à la prochaine période et j'ai pris la peine d'écrire les pages d'exercices au tableau pour diriger davantage les élèves.

Par contre, je n'ai pas dit aux élèves que j'étais disponible pour répondre à leurs questions en cas d'incompréhension tout en circulant entre les rangées. J'ai également oublié de dire aux élèves ce qu'ils devaient faire lorsque la tâche serait terminée. Ceci a eu pour effet que plusieurs élèves se sont mis à parler entre eux une fois leur travail terminé. J'ai remarqué qu'il y avait des élèves qui n'écoutaient pas la théorie et qui n'ont pas vu venir la transition. Ils se sont donc retournés vers leurs amis pour savoir ce qu'ils avaient à faire. De façon générale, les élèves se sont mis à la tâche sans trop tarder. À vrai dire, seulement trois élèves se sont mis à parler entre eux au lieu de faire la tâche demandée. J'ai observé que, pendant que je répondais à un élève, je ne voyais pas les autres qui avaient la main levée pour obtenir des explications. Bien que j'essayais de répondre à chacun des élèves, je pense que j'aurais pu montrer davantage d'hypersensitivité (*withitness*). Autre point, je dois mentionner que les élèves avaient déjà entre les mains le matériel nécessaire pour la tâche. Ayant moi-même fait les exercices la veille, je connaissais la plupart des réponses. En cas de doute, mon corrigé se trouvait sur le bureau, facilement accessible.

Tous ces témoignages reflètent les maladresses des stagiaires et des enseignants les plus fréquemment rencontrées durant les transitions dans le déroulement d'une période d'enseignement. Dans le premier cas, les consignes étaient imprécises; dans le deuxième, une activité s'est poursuivie alors qu'une autre avait débuté et, en dernier lieu, il y a eu une perte de temps considérable causée par des explications nombreuses et détaillées. Cependant, le dernier témoignage montre l'habileté d'une stagiaire à prendre conscience de ses agissements et nous observons qu'elle tente de remédier à ces maladresses en s'autoanalysant à partir de la grille d'observation des transitions.

1.4.3 La fermeture d'un enseignement

La fermeture d'un enseignement est le dernier moment critique qui peut affecter le déroulement de celui-ci. Plusieurs enseignants se font prendre par le son de la cloche au moment de terminer leur cours et c'est la cohue: les élèves rangent leur matériel à la hâte et se précipitent en masse devant la porte de sortie. Pendant ce temps, l'enseignant essaie de transmettre les dernières directives dans le bruit et avec un très faible niveau d'attention. Un stagiaire nous racontait:

> J'ai souvent de la difficulté à réaliser une bonne fermeture à la fin d'une leçon, faute de temps. D'ailleurs, la dernière activité de la période se fait parfois rapidement, le débit de mes explications ou de mes directives s'accélère lorsqu'il ne reste qu'une dizaine de minutes à s'écouler.

La transition de fermeture d'un enseignement peut se préparer par la planification de certaines actions telles que:

- mettre en place un signal pour avertir qu'il ne reste plus que cinq minutes;
- prévoir un temps pour finaliser les activités;
- établir des routines de soutien pour ramasser le matériel;
- donner les directives concernant le devoir, ainsi les plus rapides pourront le commencer vers la fin de la période, s'ils le désirent;
- permettre aux élèves de rendre un *feed-back* affectif et cognitif sur l'enseignement reçu;
- synthèse des apprentissages;
- annoncer le sujet ainsi que le matériel nécessaire pour la prochaine période.

Mise en commun des apprentissages

Voilà autant de comportements efficaces qui servent à fermer une période d'enseignement à la satisfaction de l'enseignant et des élèves plutôt que de la terminer en queue de poisson.

1.5 La gestion du temps

La stratégie la plus efficace pour augmenter la réussite éducative peut être le contrôle du temps alloué à chacune des activités d'apprentissage (Kuceris et Zakariya, 1982). Les enseignants éprouvent parfois de la difficulté à déterminer le temps à consacrer aux différents segments d'une période d'enseignement, surtout au secondaire, quand celle-ci couvre une durée de 55 minutes. En général, les méthodes les plus courantes telles que le travail individuel et le cours magistral durent souvent entre 12 et 18 minutes; le reste du temps est consacré aux transitions ainsi qu'à des segments plus courts d'exposé magistral ou de travail individuel (Doyle, 1984). Voici ce que France m'a raconté dans son histoire de cas:

> Au début, mon plus gros problème sur le plan de la gestion du temps, c'était de doser le nombre d'activités en fonction de la durée d'une période de cours. Mes activités étaient beaucoup trop longues (par exemple, exposé de 60 minutes lors de la prestation de ma première période), surtout lorsque je faisais des exposés magistraux. Je suis consciente du fait que la participation des élèves diminuait de beaucoup dans ces cas et que j'avais sans doute perdu l'attention de plusieurs d'entre eux à certains moments. Heureusement, j'ai pu m'en rendre compte moi-même en analysant le soir ce qui n'avait pas marché dans la journée!

Certains enseignants ne prévoient pas assez de contenu pour une période, de sorte que les élèves n'ont rien à faire durant les dernières minutes du cours. D'autres enseignants, par contre, ont recours à une routine de fermeture un peu avant le son de la cloche ou ils laissent le son du timbre interrompre la dernière activité (dans ce cas, il est convenu que le travail sera terminé à la maison ou le lendemain). Les enseignants-gestionnaires les plus efficaces sont constamment capables d'ajuster les activités à la durée de la période, même en début d'année scolaire. Cette difficulté dans la gestion du temps est liée en partie au rythme d'apprentissage des élèves. Il y a une plus grande possibilité de temps morts à la fin d'une période avec des élèves faibles (Evertson, 1980 dans Doyle, 1984). À titre d'exemple, voici un autre extrait d'une conversation avec une stagiaire:

> La période d'exercices individuels est d'environ 45 minutes. Rares sont les fois où je vérifie certains exercices, car il m'est difficile d'interrompre les élèves... Ils ne sont pas rendus au même endroit... Souvent les élèves les plus rapides dérangent les autres...

Langevin (1993) nous fait part de conditions *sine qua non* à une bonne gestion du temps au sein du travail en petits groupes:

> La précision de la durée du temps pour l'apprentissage est essentielle à la réussite d'une tâche en petits groupes. Si les élèves n'ont pas suffisamment de temps, ils ne peuvent pas s'engager dans une exploration nécessaire. Si les élèves

sentent qu'ils manquent de temps et pensent qu'ils ne pourront pas terminer leur travail à temps, le fonctionnement du petit groupe en souffrira. S'ils subissent trop de pression l'apprentissage ne sera probablement pas efficace. Cependant, si les élèves disposent d'une période trop longue pour effectuer une tâche, ils perdront du temps.

Il est aussi important de bien doser le nombre d'activités durant un enseignement en fonction du temps. Les enseignants qui planifient de nombreuses activités accordent peu de temps à chacune, ce qui occasionne plusieurs transitions ainsi que de nouveaux départs. Cela se traduit par une gestion souvent difficile, surtout chez les élèves faibles. À l'opposé, les activités trop longues (par exemple, une ou deux activités à l'intérieur d'une même période) nécessitant peu de transitions et peu de nouveaux départs, se terminent souvent par un taux très faible de participation. Il en est de même dans les classes où les enseignants commencent le cours par de longs segments et, vers la fin de la période, tentent de commencer quelque chose de nouveau, comme en fait foi un autre commentaire de stagiaire:

> Je donne trop d'importance (en temps) à l'amorce du cours, je privilégie exagérément l'expression verbale des élèves... Mon désir de vulgariser, de m'adapter au niveau du secondaire et de ne pas perdre l'attention de mes élèves m'amène à passer trop de temps à expliquer une notion...

En plus de la durée, la sélection des activités d'apprentissage devrait inclure une évaluation des niveaux de difficulté et une identification de buts réalistes afin de donner à l'élève un défi de préférence à une frustration (Lasley et Walker, 1986). Le taux de participation sera augmenté, la passivité et les comportements inacceptables probablement écartés, étant donné que l'élève sera engagé dans la tâche. D'autres comportements sont suggérés pour augmenter le temps d'apprentissage: il s'agit de commencer la classe à temps, de gérer les transitions efficacement, de développer des routines, de donner des explications claires, de limiter et contrôler les interruptions, de circuler dans la classe et de fournir du *feed-back* sur le travail des élèves.

Selon certaines études, 70 % du temps total d'enseignement devrait porter sur des apprentissages académiques; dans notre système scolaire québécois, ceci équivaudrait à trois heures et demie sur cinq heures par jour. Dans les situations où cette norme n'est pas respectée, on doit conclure que les comportements dérangeants des élèves réussissent à dévier l'enseignant de ses objectifs. Dans de tels cas, il se pourrait que l'enseignant n'ait pas su instaurer des routines efficaces pour prévenir les problèmes de discipline ou qu'il se soit laissé entraîner dans des apartés qui n'ont aucun rapport avec l'enseignement en cours pour satisfaire la curiosité de certains élèves. Cependant, des approches pédagogiques variées telles que le tutorat par les pairs et l'apprentissage coopératif peuvent aider à maximiser le temps réel d'enseignement (Rhode et Reavis, 1995).

1.6 Exemple d'une planification

Pour illustrer cet exposé sur la planification, nous présentons un modèle d'un plan d'enseignement au *Tableau 4*. Il décrit le déroulement d'un enseignement, dans la discipline du français, en quatrième secondaire, à la troisième période de la journée. Il vise la compréhension orale et écrite du discours «nouvelle littéraire». Les actions de l'enseignant et des élèves ont été volontairement retirées du plan pour que le lecteur-enseignant puisse imaginer ses propres comportements.

Tableau 4

Planification d'un enseignement en français, quatrième secondaire

La nouvelle littéraire
Période de 75 minutes

Déroulement (Étapes)	Actions de l'enseignant	Actions de l'élève
0. Organisation spatiale et matérielle 1. Ouverture ( ) • accueil • administration 2. Exploration du contenu ( ) • présentation de l'auteur et du texte enregistré		
TRANSITION		
3. Audition de la nouvelle avec fiche d'écoute sur la structure ( )		
TRANSITION		
4. Mise en commun des réponses de la fiche d'écoute ( )		
TRANSITION		
5. Reproduction écrite de la nouvelle en équipe de deux • réécrire chaque paragraphe avec d'autres mots		
TRANSITION		
6. Mise en commun de la version remodelée de la nouvelle ( )		
TRANSITION		
7. Fermeture ( )		

1.7 Exercices de réflexion

À l'aide des textes précédents et du *Tableau 4*:

1- Formuler un objectif d'apprentissage pour cet enseignement.

2- Préciser l'ouverture en ce qui concerne:

— l'organisation spatiale du local;
— le matériel nécessaire;
— le menu de la période d'enseignement;
— un déclencheur en lien avec l'objectif et le contenu;
— l'utilité de ce type de discours littéraire pour des jeunes de 14-15 ans.

3- Tenter de planifier les actions de l'enseignant et celles des élèves pour chaque étape.

4- Préciser les transitions à l'aide des facteurs suivants:

Contexte général des transitions (ouverture-tâche-fermeture)

- Durée (en minutes)
- En continuité (fermer une activité avant d'en ouvrir une autre)
- Organisation matérielle (local, mobilier, prêts sur-le-champ)

Comportements des élèves au travail

- au travail ou non, que font-ils?
- interventions de l'enseignant

Habiletés de l'enseignant

- hypersensitivité (conscience du groupe et vigilance dans la classe)
- chevauchement (mène de front les activités, voit à tout en même temps)
- obtenir l'attention des élèves pour parler

Transmission des consignes pour les tâches d'apprentissage

- présentation (visuelle, orale, audiovisuelle...)
- consignes: quoi faire et comment le faire (précision, concision, quantité...)
- les rôles aux élèves: qui va faire quoi?
- type d'assistance de l'enseignant
- quoi faire quand la tâche est terminée

5- Estimer le temps requis (dans les parenthèses) pour chacune des activités prévues.

6- Présenter quelques routines efficaces pour la fermeture de cet enseignement.

....

Vérifier vos réponses avec l'exemple d'organisation d'un enseignement à la fin du chapitre 2.

....

Chapitre 2

L'organisation en salle de classe

Pour bien distinguer l'organisation en salle de classe de la planification de situations pédagogiques, reportons-nous à l'histoire de France. Dans un premier temps, elle s'est constitué un cahier de planification sur les programmes d'études qu'elle enseignera pour les différentes étapes de l'année scolaire. Par la suite, elle a restreint ce système de prévisions à chaque semaine de classe, voire à chaque jour d'école. Puis, dans un deuxième temps, elle a élaboré un autre système pour consigner des routines qui comprennent des règles à suivre, des procédures spécifiques pour la correction des devoirs et des exercices et même des fiches de suivi qui lui permettront d'observer quotidiennement les comportements de certains élèves ou de vérifier le matériel didactique requis pour ses enseignements. Une bonne organisation augmente les possibilités de réussite et le degré de concentration chez l'élève; elle réduit au maximum les risques de confusion face aux tâches à exécuter (Worsham, 1983). C'est de cette deuxième composante de la gestion de classe dont il sera question dans ce chapitre.

Définissons d'abord ce qu'on entend par l'organisation en salle de classe:

> L'organisation est une activité qui consiste à identifier et à mettre en place un mode de fonctionnement des plus efficaces, pour accomplir le travail à faire, tout en répondant aux besoins et aptitudes des élèves, de façon à ce que ces derniers demeurent assidus au travail sans perte de temps.

En définitive, l'organisation est cette étape intermédiaire entre la planification et l'action. Elle se compose d'un ensemble de routines sur les plans:

— de l'organisation sociale: les routines de socialisation;
— de l'organisation didactique et matérielle: les routines de soutien;
— de l'organisation relationnelle: les routines de communication.

Ces routines sont les assises de l'organisation des activités d'apprentissage. En effet, les routines pour l'organisation sociale offrent à la classe une infrastructure qui définit le fonctionnement général d'un enseignant avec un groupe d'élèves dans un cadre spatio-temporel donné. Quant aux routines pour l'organisation didactique et matérielle, dites de soutien à l'activité d'apprentissage, elles précisent les comportements et les actions à faire en vue de la réalisation des tâches dans le déroulement d'un enseignement. Enfin, les routines pour l'organisation relationnelle, appelées aussi de communication, définissent les comportements verbaux et non verbaux durant les échanges.

Nous avons recours à une métaphore qui décrit bien ces différents plans. L'enseignant est comparé à un chorégraphe — ou à un premier danseur — et chaque type de routine représente un plan différent de cette forme de communication qu'est la danse. Les routines de socialisation se comparent à l'organisation scénique en général; les routines de soutien, aux mouvements syntaxiques requis en vue de l'exécution d'une danse; et les routines de communication, au pas de deux, à l'harmonie dans l'exécution du mouvement.

Les routines sont des procédures établies par l'enseignant en collaboration avec ses élèves et leur principale fonction est de réguler et de coordonner des séquences précises de comportements (Yinger, 1979). Elles constituent un mode de fonctionnement efficace et constant pour les situations caractérisées par des actions et des comportements répétitifs. Elles jouent aussi un rôle majeur dans la planification des situations pédagogiques, en ce sens qu'elles permettent d'assurer une plus grande prévisibilité et de simplifier la complexité de l'environnement d'apprentissage.

Il est important ici de faire la distinction entre routines et procédures. Les procédures sont un ensemble de connaissances opérationnelles pour parvenir à un résultat. Par exemple, les consignes à suivre pour utiliser un microscope ou celles pour exécuter un travail de laboratoire ou pour résoudre un type de problème en mathématique. Les procédures réfèrent aussi aux étapes définissant une tâche académique complexe. Voici un extrait du journal de bord de France illustrant cette habileté:

> Cela m'aidait beaucoup lorsque j'écrivais les consignes au tableau en plus de les dire, car il y avait [...] un support visuel. J'ai essayé de faire cela pour le menu, mais au début les élèves pensaient que c'étaient des notes de cours, car elles n'étaient pas habituées à voir cela au tableau. Cette méthode m'aidait beaucoup à garder l'esprit ordonné et à savoir où on s'en allait.

Une gestion efficace est associée à l'établissement de routines variées qui deviennent permanentes (Evertson et Weade, 1989). Avec le temps, les routines s'installent alors que le contenu académique varie constamment. C'est pourquoi nous pouvons affirmer que la «routinisation» des activités permet à l'enseignant de consacrer beaucoup plus de temps aux prises de décisions relatives aux imprévus ainsi qu'au développement de moyens innovateurs pour communiquer un contenu. Il en découle ainsi une économie de temps et d'énergie pour l'enseignant qui peut s'attarder davantage à diagnostiquer des besoins individuels des élèves, à offrir une aide efficace et à évaluer la performance de chacun.

De plus, le fait d'établir des routines semble constituer un mécanisme important pour maintenir l'ordre dans une classe. L'établissement de routines permet ainsi de conserver le rythme durant des dérangements, car les élèves savent ce qu'ils ont à faire.

Également, il est important d'implanter les routines dès les premières semaines d'enseignement. Les enseignants efficaces établissent un système de fonctionnement en classe dès le début de l'année, et ce, dans les quatre premiers jours; ils prévoient aussi la manière dont ils vont s'y prendre pour maintenir ces routines durant toute l'année. Il est important non seulement de communiquer les routines aux élèves mais aussi de leur en faire la démonstration, et de les faire pratiquer en les corrigeant au besoin ou en les félicitant, tout en évitant le plus possible d'imposer ou de punir pendant l'établissement des routines (Leinhardt, 1987).

Les sections qui suivent offrent une description plus détaillée des trois types de routines que nous avons annoncées précédemment.

2.1 Les routines de socialisation

Les routines de socialisation offrent à la classe une superstructure qui définit le cadre général de fonctionnement dans lequel évolueront des groupes d'élèves avec un enseignant. Elles s'intéressent aux mouvements et aux interactions des élèves en périphérie des activités d'apprentissage. Par exemple, nous retrouvons la façon d'accrocher les manteaux et de ranger son sac, l'aménagement du local, l'entretien de la classe, le «parlage» en classe, les situations nécessitant des déplacements telles les transitions, les besoins personnels de l'élève, la mise en rangs, un changement de local, etc. Lorsque les routines de socialisation font défaut, un désordre ou un manque de discipline s'ensuit. Elles sont les règles de vie au sein d'un groupe d'individus.

Durant les toutes premières journées de classe, ces routines font l'objet d'une description verbale précise et, à l'occasion, d'une démonstration. La façon de transmettre les routines varie en fonction de l'âge des élèves ou des caractéristiques du groupe.

Plus tard dans l'année, l'enseignant a recours à de simples mots ou gestes pour les faire appliquer. S'il a réussi à établir un code de communication dans sa classe, il lui suffira, par exemple, pour obtenir l'écoute des élèves, d'utiliser des signaux tels qu'éteindre la lumière, frapper dans les mains ou encore dire «écoutez-moi bien», etc. Avec le temps, l'enseignant n'aura même plus à expliquer aux élèves les raisons qui sous-tendent l'utilisation de telles routines.

D'une part, le fait de disposer de routines spécifiques de socialisation suggère à l'élève qu'il appartient à une classe organisée et personnalisée: «Ici, c'est de cette façon qu'on fonctionne.» D'autre part, un trop grand nombre de routines peut aussi devenir une entrave à la liberté et à l'individualité des élèves. L'enseignant doit savoir doser la quantité de ces routines afin de conserver un climat de travail dans lequel l'élève sentira une certaine latitude dans les actions qu'il fera.

Nous aimerions insister davantage sur cet aspect de l'organisation sociale en salle de classe pourtant si simple et si essentielle. Malgré tous les cours suivis pendant la formation initiale, l'expérience des stagiaires montre, dans les citations ci-dessous, comment cette habileté à établir des routines de socialisation en classe, si nécessaire au rôle de l'enseignant, est peu développée:

> Lors des périodes de nettoyage du matériel d'arts plastiques, plusieurs élèves se retrouvent en même temps à l'avant de la classe, ce qui entraîne beaucoup trop de déplacements et un embouteillage monstre.

> Au début de ma prise en charge, j'ai constaté que les élèves se déplaçaient souvent pour emprunter les outils de travail (crayon, gomme à effacer, etc.) de leurs camarades.

> Les élèves ne savent pas quels comportements adopter ni quelles actions faire en vue de certaines tâches: comment ou quand se déplacer pour tailler son crayon, la distribution et la cueillette des travaux, la préparation du matériel (manuels, crayons), le nettoyage du tableau, etc.

Il y a tellement d'élèves par groupes que tous les pupitres sont occupés. Je devrai donc changer un peu la disposition des pupitres dans la classe pour pouvoir écrire sur le tableau de gauche. De plus, les élèves, avec leurs sacs [par terre dans les rangées], rapetissent encore plus ma zone d'action: il est quelquefois très difficile de circuler entre les rangées.

Tout en estimant important de donner du temps aux élèves pour lire dans le cadre d'un cours de français, [...] je comprends aussi que certaines élèves n'ont pas à cette période précise une passion pour la lecture... Ma position est ambivalente et les élèves l'ont vite perçue. Il est alors difficile d'imposer la règle officielle [silence] quand on excuse celles qui la transgressent.

J'avais effectivement tendance à laisser parler les élèves. J'en repérais deux qui jasaient de temps à autre, mais je ne bronchais pas. Je me disais que, si je les ignorais, elles finiraient par se lasser et cesseraient leur bavardage.

France — Je croyais avoir tout prévu. On ne m'avait jamais sensibilisée à ce problème des routines. Heureusement, j'en avais prévu quelques-unes au départ mais, avec l'expérience, j'ai découvert dans mon cahier de routines qu'il y en avait différents genres. Aussi j'ai tenté, après ma première année d'enseignement, de les regrouper sous des catégories distinctes: routines pédagogiques, routines disciplinaires, routines de motivation. Je sais qu'il doit exister d'autres manières de les regrouper...

En définitive, ces routines de socialisation constituent un code d'éthique explicite qui, s'il est maintenu avec constance dès les débuts des rencontres, devient rapidement implicite. Les rappels verbaux aux manquements d'une routine deviennent alors des rappels non verbaux signifiés beaucoup plus rapidement par un seul regard ou froncement de sourcils, conduisant à une efficacité du fonctionnement en groupe. Ce code d'éthique en salle de classe favorise aussi le développement social de l'élève. Quel que soit le groupe social dans lequel il aura à s'intégrer dans la société, il devra apprendre à respecter les règles implicites et explicites qui contrôlent les activités d'un groupe ou d'une communauté donnée. Dans ce sens, les routines de socialisation initient les élèves à leur vie future en société. C'est ici que la fonction de socialisation de l'école prend tout son sens.

2.2 Les routines de soutien

Comme il a été mentionné précédemment, il faut également prévoir des routines pour l'organisation didactique et matérielle, aussi nommées de «soutien», qui précisent les actions à faire et le matériel nécessaire pour réaliser les tâches d'apprentissage. À titre d'exemples, il y a la distribution et la remise des feuilles ou des travaux, la description du matériel nécessaire pour un enseignement (fiches, manuels, crayons), la disposition du lieu où l'activité doit se dérouler (au tableau, à la place de l'élève, au bureau de l'enseignant), la forme de travail didactique (en groupe, en sous-groupes, individuellement), la localisation des pages dans un texte, etc. Ce type de routine est clairement précisé dans la planification d'un enseignement lors des transitions, car ce sont elles qui soutiennent les activités d'apprentissage.

Bien qu'une recherche (Leinhardt, 1987) montre que 44 routines différentes de soutien furent utilisées par des enseignants, seulement 12 d'entre elles furent employées par plus de trois enseignants. Ce faible chevauchement s'explique peut-être par le fait que ce type de routine reflète le style propre de l'enseignant. Un système de gestion de classe doit inévitablement être en accord avec le style et la personnalité de l'enseignant, sinon ce dernier se sentira inconfortable dans une telle organisation (Walsh, 1986). Nous savons que certains traits de l'enseignant influencent la conduite des élèves qui lui sont confiés, notamment ses vêtements, sa voix, ses mouvements et ses attitudes. Par exemple, un enseignant courtois et patient aura tendance à produire chez ses élèves une attitude similaire, du moins à un certain degré. Aussi, le fait de parler calmement et de réprimander les élèves sans élever le ton contribue à détendre l'atmosphère et à éviter les confrontations, surtout quand l'enseignant supervise un travail individuel (McDaniel, 1986). Il est donc important que l'enseignant en soit conscient et il est nécessaire qu'il donne l'exemple s'il veut que les élèves répondent à ses attentes. De nombreuses autres caractéristiques propres à l'enseignant sont susceptibles d'influencer son système de gestion de classe. La plus importante condition est la constance dans l'application des routines établies par l'enseignant.

Aussi, l'enseignant doit passer un temps suffisamment important au début de l'année à rappeler aux élèves les routines qui supportent différents types d'activités. Ces routines de soutien sont implantées progressivement par la pratique et l'implication des élèves, et se transforment en un *modus vivendi* suivant lequel les élèves sont heureux de travailler. Quand ces routines font défaut, c'est signe que l'enseignant est mal préparé et cela peut entraîner de nombreuses pertes de temps d'apprentissage. En effet, comme ces routines de soutien contribuent à maintenir le rythme dans le déroulement d'un enseignement, elles peuvent représenter une économie de temps considérable. Par contre, si les élèves n'ont pas adopté ces routines, elles peuvent se révéler pénibles ou inefficaces, surtout si elles reposent exclusivement sur la responsabilité de l'enseignant. C'est ce qui arrive par exemple à l'enseignant qui distribue toujours lui-même les documents sans l'aide des élèves, qui présente des consignes imprécises pour un travail en équipe, ou encore qui utilise subitement un type de pédagogie sans préparer ses élèves ou qui replace lui-même les bureaux après leur départ, etc. La planification de ces routines exige donc une progression et un dosage calculé pour maintenir un rythme régulier pendant un enseignement.

Encore une fois, citons des exemples de stagiaires que nous avons supervisés:

J'avais oublié d'inscrire à quelle page tel problème se trouvait dans leur cahier d'exercices. J'avais la page dans le guide méthodologique et je devais alors trouver la page correspondante dans le cahier d'exercices ou vice versa. Les élèves devaient attendre pendant que je tournais les pages; ils s'impatientaient, avec raison.

Lors d'un travail en équipe, mes consignes peu claires, mon manque évident d'organisation ont favorisé le flottement. Finalement, je me suis rendu compte que je perdais le contrôle de la classe.

Lorsque j'ai indiqué au tableau les critères à respecter pour la rédaction de la lettre d'opinion, certaines élèves ont pensé qu'elles devaient répondre à ces critères comme s'il s'agissait de questions d'exercices (dont elles avaient l'habitude) plutôt que de s'en servir comme indicateurs dans leur rédaction.

J'avais apporté en classe des modèles de lettres auxquelles les élèves devaient répondre. Il y a eu une perte de temps d'au moins dix minutes à l'avant de la classe, les élèves se disputant les lettres les plus simples (courtes) ou les sujets les plus près de leur vécu.

Il arrive qu'on doive répéter plusieurs fois les consignes concernant les activités; si, malgré cela, plusieurs n'ont pas encore compris la démarche à suivre, il y a problème.

En changeant souvent d'activités pour éviter la «routinisation» pendant les périodes, il s'est avéré que le passage d'une activité à une autre engendrait une perte de temps sur le plan des consignes à établir pour la nouvelle activité.

Lors de la correction des devoirs, il m'est difficile de vérifier quelles élèves ont réussi un numéro ou pas... Les élèves sont peu motivées... C'est beaucoup trop long... Il m'arrive souvent de demander aux élèves de donner leurs réponses et d'avoir à nommer jusqu'à cinq élèves avant d'en obtenir une bonne.

Ces maladresses que nous avons observées chez les futurs enseignants persisteront tout au long de leur carrière tant et aussi longtemps que l'ensemble de ces actes aussi élémentaires qui sous-tendent toute activité d'apprentissage n'aura pas été conscientisé dans des actes réflexifs et proactifs.

2.3 Les routines de communication

En plus des deux types de routines que nous venons de décrire, il faut en prévoir un autre qui précise spécifiquement les comportements en vue des échanges entre l'enseignant et ses élèves. Ces routines, dites de communication, s'établissent selon deux modes: l'un explicite, par des expressions verbales, et l'autre implicite, par des gestes non verbaux. Elles sont utilisées principalement durant les travaux dirigés ou durant la partie magistrale d'un enseignement. Par exemple, si un élève veut intervenir en classe, il doit lever la main, garder le silence quand quelqu'un parle; ces comportements peuvent aussi être valorisés par l'enseignant...

En fait, ces routines sont souvent reliées au système interactionnel en salle de classe et à la structure des activités (Flanders, 1970). C'est ici que l'équilibre entre la participation verbale de l'enseignant et celle des élèves prend toute son importance. En ce sens, une défaillance sur le plan des échanges donne l'impression que l'enseignant se parle à lui-même, que les élèves n'écoutent pas, ne réagissent pas ou subissent un enseignement. Les actions pourraient se définir ainsi: l'enseignant expose, ordonne des tâches écrites; les élèves écoutent, lisent et écrivent. Le but de l'organisation relationnelle est justement d'établir cette interactivité entre un enseignant et ses élèves.

Plusieurs études (Burden, 1995) rapportent que le taux d'interaction entre un enseignant et ses élèves varie en fonction de la disposition des bureaux dans la classe. Les dispositions géographiques les plus courantes sont les rangées, les équipes ou les demi-cercles.

Les enseignants débutants préfèrent placer les bureaux en rangées pour pouvoir mieux diriger l'attention des élèves vers leur direction, pour réduire les interactions entre les élèves et ainsi favoriser la concentration de l'élève sur son travail (Bennett et Blundell, 1983; Wheldall, Morris et Vaughan, 1981 dans Burden, 1995). La disposition en rangées favorise l'interaction entre l'enseignant et un élève alors que la disposition en cercle permet davantage des interactions entre les élèves.

Le système interactionnel en salle de classe est aussi affecté par l'endroit où est placé l'élève en classe. Par exemple, les élèves assis au centre et à l'avant de la classe posent plus de questions et émettent plus de commentaires; cette région avant-centre est nommée «zone d'action de l'enseignant» (Adams et Biddle, 1970 dans Burden, 1995). En tenant compte de ces éléments importants du système relationnel dans une salle de classe, l'enseignant attentif se préoccupera de certains élèves

La prise de parole

qui sont dissipés, dans la lune ou silencieux, pour susciter périodiquement des échanges avec chacun des élèves de ses groupes.

Les routines de communication sont directement liées à l'habileté à questionner, laquelle est une des plus importantes habiletés à développer en situation de classe. L'une des premières recherches sérieuses portant sur cette habileté montre que les quatre cinquièmes du temps de classe sont consacrés au questionnement et qu'un enseignant du secondaire pose en moyenne 395 questions par jour (Stevens, 1912). Le questionnement est considéré comme l'habileté de base qui stimule le raisonnement et l'apprentissage chez l'élève (Aschner, 1963). Le modèle de formation de concept, entre autres celui de Taba (1967), utilise le questionnement pour induire chez l'élève un nouveau concept. Plusieurs recherches, plus spécialisées dans ce domaine, ont tenté de définir les types de questions qui sont généralement posées par les enseignants pour attirer l'attention des élèves et les maintenir sur le qui-vive. Nous retrouvons les types suivants:

- des questions à réponses ouvertes (divergentes) qui touchent les quatre niveaux supérieurs de la taxonomie du domaine cognitif (Bloom): appliquer, analyser, synthétiser et évaluer;
- des questions à réponses fermées (convergentes) portant sur les niveaux inférieurs des habiletés intellectuelles: connaître et comprendre;
- des questions qui permettent de pénétrer le domaine affectif de l'élève sans critères prédéfinis; par exemple: Es-tu intéressé par cette histoire? Pourquoi pensez-vous que cette femme sera élue premier ministre?
- des questions «procédurielles» qui portent sur la gestion des activités; par exemple: Avez-vous la bonne page? Voulez-vous lire ce paragraphe?
- des questions tirées de textes écrits et lues par l'enseignant;
- des questions lancées par les élèves (Winne, 1979).

Ces types de questionnement visent l'interactivité entre les acteurs de la classe en répartissant la prise de parole chez tous les élèves tout en respectant l'élève timide. L'enseignant tendra également à diminuer sa propre participation verbale au profit de celle de ses élèves. Il devra cependant faire un choix judicieux entre les questions à réponse ouverte et celles à réponse fermée pour provoquer de nouveaux apprentissages.

L'art de questionner semble à première vue être une habileté facile à maîtriser mais, en réalité, elle présente une multitude de facettes comme le montrent les exemples suivants traités à partir d'un réseau d'entraide professionnelle sur Internet[1]:

> J'enseignais au groupe 34 (le groupe d'«endormis») et je leur posais beaucoup de questions. Chaque fois, mes questions retombaient mollement. J'ai donc décidé de prendre les élèves en main: j'en nomme un pour qu'il réponde à une question. Il me répond: «je ne sais pas.» Je demande si quelqu'un peut l'aider. Personne ne répond. Alors, je repose la question à un autre élève. J'obtiens la même réponse. Ils ne se donnaient même pas la peine d'observer l'image qui leur aurait permis de trouver la réponse.

Cette stagiaire questionnait donc sans désigner un répondeur et n'obtenait pas de réponse de la part des élèves. Après réflexion, elle nomme un répondeur, mais la réception est tout aussi passive. Il lui fut alors suggéré de reconsidérer le type de questions qu'elle posait.

> J'éprouve de la difficulté au moment où un élève me pose une question, comme si une question posée était pour moi l'occasion de relever un défi par rapport à mes connaissances. Ordinairement, je m'empresse de répondre sans penser qu'un élève pourrait répondre à ma place et ainsi favoriser l'interaction entre les élèves et en profiter pour donner un *feed-back* positif à celui qui a répondu correctement.

1. Nault, T., Nault, G. (1997). Réseau d'entraide professionnelle sur Internet (REPI): http://callisto.si.usherb.ca/~repi

Voilà un piège dans lequel tombent plusieurs stagiaires qui veulent asseoir leur autorité en montrant leur compétence dans une matière. On notera cependant que ce stagiaire, ayant déjà pris conscience de sa maladresse, sera dorénavant attentif à intégrer la compétence des élèves dans ses enseignements. Sur ce forum de discussion, nous avons rencontré un autre type de stagiaire qui, obligé d'enseigner une matière pour laquelle il n'avait pas une préparation disciplinaire suffisante, craignait les questions des élèves et tentait de les éviter dans son enseignement. Ce sentiment d'incompétence devant une matière à enseigner peut alors conduire à un enseignement cloisonné de type magistral dans un mode de communication à sens unique.

> Poser les questions en écoutant les réponses des élèves et les réorienter au besoin, donner du *feed-back,* tenter de comprendre pourquoi les élèves répondent en faisant des erreurs tout en ne perdant pas de vue la bonne réponse... Je n'arrivais pas à me concentrer efficacement sur ce que les élèves disaient.

La stagiaire ci-dessus devait écouter, recibler les réponses des élèves, renforcer les bonnes réponses, accepter inconditionnellement toute réponse tout en interprétant ou rectifiant leur contenu; tous ces comportements représentent une situation de questionnement efficace. Cet art de questionner exige une grande sagacité et requiert un esprit vif pour rester en contrôle de la situation tout en faisant feu de tout bois, même des réponses erronées.

> Je perds à l'occasion le contrôle au fond de la classe parce que les élèves ont l'impression que je ne m'adresse pas nécessairement à elles.

Cette enseignante pense que les élèves sont indisciplinées parce qu'elle ne les questionne pas. Par ailleurs, nous pourrions penser aussi que ces élèves ont décidé sciemment de s'asseoir au fond de la classe parce que c'est le meilleur endroit pour ne pas participer à un enseignement qui ne les intéresse pas. Ce témoignage montre donc l'influence inconsciente de la place qu'occupent les élèves dans une classe.

> Ce que je n'ai pas encore réussi à contrôler, c'est mon questionnement pour vérifier l'apprentissage des élèves. On m'a souvent fait remarquer que je posais une question, et que j'y répondais aussitôt, sans laisser le temps aux élèves d'y songer... Ces derniers n'ont pas l'habitude de lever la main pour parler. Je posais mes questions à la cantonade (ne m'adressant précisément à personne en particulier).

> Les questions que je pose ne s'adressent à personne en particulier, c'est-à-dire qu'aucune personne n'est désignée pour y répondre. Lorsqu'il y a des réponses, elles viennent toutes en même temps ou bien il n'y a aucune réponse.

Nous voyons dans ces deux cas que plusieurs comportements de l'habileté à questionner sont peu maîtrisés ou conscients. D'abord, faire une pause de deux ou trois secondes après l'émission d'une question a pour effet d'aller chercher l'attention des élèves, de susciter le qui-vive et de leur laisser le temps de préparer leur réponse. Ensuite, être à la recherche d'un répondeur tout en balayant des yeux le groupe permet de cibler autant les élèves qui ont la main levée que ceux qui ne réagissent pas et ainsi répartir la prise de parole.

> Le nombre d'élèves incités à prendre part à une période de questionnement aurait pu être plus important. J'avais tendance à me limiter aux réponses volontaires (les élèves qui levaient la main). Le fait de laisser répondre les élèves dynamiques ne me permettait pas d'évaluer l'évolution de la compréhension des autres, plus discrets... Le fait d'élargir mon questionnement peut favoriser une plus grande participation et un meilleur apprentissage des élèves...

Nous voyons ici un enseignant soucieux d'interagir avec chacun des élèves de son groupe pour augmenter le taux de participation en classe. S'il y a 32 élèves dans un groupe, il fera en sorte qu'à chaque période d'enseignement des élèves différents puissent s'exprimer. Les quelques exemples que nous venons de présenter illustrent un enseignement de type participatif qui tient compte à la fois de la place des acteurs dans un cadre spatio-temporel et de l'habileté à stimuler, par voie de questionnement, la participation verbale en salle de classe. Ces routines de communication visent, tout comme les autres types de routines, le développement social de l'élève sur le plan des relations interpersonnelles. L'élève qui aura développé l'écoute de l'autre, la prise de parole en public pour émettre son point de vue, le renforcement d'une idée, le respect des règles de vie en groupe, pourra plus tard fonctionner adéquatement dans une organisation de travail qui exige ces comportements sociaux.

2.4 Exemple d'organisation d'un enseignement

Pour concrétiser cet ensemble de routines, nous intégrons dans le plan d'enseignement suivant (voir *Tableau 5*) les trois types de routines de l'organisation de la classe décrits précédemment et qui sont représentés par les symboles:

(o) = routines de l'organisation sociale (socialisation de la classe)

(s) = routines de l'organisation didactique et matérielle (soutien aux tâches)

(c) = routines de l'organisation relationnelle (communication entre enseignant et élèves)

Nous invitons le lecteur à laisser libre cours à son imagination pour compléter les parenthèses dans ce tableau.

Tableau 5

Cours: Français, quatrième secondaire — La nouvelle littéraire
Objectif: Vérifier la compréhension orale et écrite du discours «nouvelle littéraire»
Période de 75 minutes

Déroulement (Étapes)	Actions de l'enseignant	Actions de l'élève
0. Organisation spatiale et matérielle	• écrit le menu au tableau (o) • vérifie le magnétophone et la bande audio (s) • regroupe les bureaux en îlots de deux et colle un numéro de 1 à 15 (s)	
1. Ouverture (5 min.) • accueil • administration • lien avec le contenu 2. Exploration du contenu (5 min.)	• salue chaque élève à la porte (o) • remet un numéro à chacun • prend les présences à l'aide du plan de classe (o) • fait quelques annonces (o) • désigne un élève (c) • s'informe de sa dernière lecture ( ) • présente la biographie de l'auteur • désigne un élève	• dépose son devoir sur la table du matériel (o) • s'assoit au bureau du numéro reçu ( ) • lit le menu • résume la biographie
TRANSITION • Distribution de matériel • Consignes pour l'audition	• demande l'attention ( ) • distribue une fiche d'écoute par technique de la «vague» (s) • précise qu'il s'agit d'un travail individuel ( ) • démarre le magnétophone • annonce la durée ( )	• écoute • lit les questions
3. Audition de la nouvelle (10 min.)	• gère le temps (s) • circule entre les bureaux • vérifie si le temps est suffisant	• écoute et répond aux questions sur la fiche • découvre la structure d'une nouvelle
TRANSITION • Routines de communication	• arrête l'activité ( ) • «Lève la main pour parler.» • «Écoute quand on parle.» (c) • annonce la durée	• écoute

Tableau 5 (suite)

Déroulement (Étapes)	Actions de l'enseignant	Actions de l'élève
4. Mise en commun des réponses de la fiche d'écoute (25 min.)	• donne le tour de parole (c) • suscite la participation • écoute et valorise les réponses • gère le temps ( )	• répond ( ) • lit sa fiche • complète les réponses des autres • écoute l'autre (c)
TRANSITION • Consignes pour la pratique d'écriture • Présentation du matériel	• arrête l'activité ( ) • travail par groupes de deux (s) • parle à mi-voix ( ) • tâche: «Remodelez le paragraphe dont le numéro est collé sur votre bureau et transcrivez-le sur un transparent.» • distribue le texte de la nouvelle dont les paragraphes sont numérotés et un transparent à chaque équipe • annonce la durée ( ) • désigne un élève pour vérifier la compréhension	• écoute ( ) • résume les consignes de la tâche
5. Production écrite (15 min.)	• prépare le rétroprojecteur • motive l'élève • circule entre les équipes • aide, guide • annonce le temps qui reste	• écrit son paragraphe avec d'autres mots: lien, personnages, objets • parle à voix basse
TRANSITION • Consignes et durée pour la mise en commun	• arrête l'activité • chaque équipe du nº 1 au nº 15 projette et lit sa production au groupe • aucune intervention ne sera acceptée pendant la lecture (c) • durée: trois minutes par équipe	• écoute • se nomme un lecteur (c)

Tableau 5 (suite et fin)

Déroulement (Étapes)	Actions de l'enseignant	Actions de l'élève
6. Mise en commun de la version remodelée de la nouvelle (15 min.)	• donne le tour de parole • écoute, valorise, félicite • accepte inconditionnellement les productions • gère le temps	• l'élève lecteur met le transparent, lit, les autres écoutent
TRANSITION • Consignes pour la fermeture de la période	• arrête l'activité • «Apportez votre production.» • «Replacez les bureaux.» (s) • «Asseyez-vous à votre place habituelle.»	• un membre de l'équipe remet la production sur la table du matériel (o) • place les bureaux pour le prochain groupe
7. Clôture (5 min.)	• amène les élève à comparer les deux versions de la nouvelle et à s'exprimer sur ce type de texte • donne le tour de parole • «À la prochaine période, je vous remettrai une copie de notre version et nous reviendrons sur la nouvelle que vous aurez lue en devoir.»	• s'exprime spontanément • donne son *feedback* sur l'activité et sur le type de texte

2.5 Exercices de réflexion

1. Les routines de communication constituent un excellent moyen pour favoriser un double apprentissage chez les élèves. D'une part, l'apprentissage de la matière, puisque tout le monde peut intervenir, écouter et comprendre la leçon. D'autre part, le développement d'habiletés sociales, où chacun est amené à respecter les autres en pratiquant l'écoute active de chacun des intervenants. Elles contribuent au bon fonctionnement de la classe et dynamisent la participation du groupe lorsqu'elles sont bien intégrées et appliquées correctement. Dégagez de ce plan d'enseignement les routines de communication qui vous semblent les plus efficaces pour maximiser la participation verbale des élèves.
2. Les routines de soutien montrent une variété des stratégies d'intervention qui tendent à maintenir l'attention des élèves. La gestion s'en trouve améliorée et montre des qualités de prévention et d'efficacité chez l'enseignant. Quelles sont ces actions de l'enseignant et des élèves qui supportent les activités de ce plan d'enseignement?
3. Voici une liste de situations susceptibles de se produire dans une classe tant à l'enseignement primaire que secondaire. Indiquez alors par un crochet (√) celles pour lesquelles vous développeriez des routines et complétez la liste s'il y a lieu:

Utilisation du local et du matériel	√
• Le bureau de l'enseignant et les lieux de rangement de la classe	
• Les pupitres des élèves et le rangement des effets personnels	
• Le rangement du matériel de la classe	
• Le taille-crayon, la poubelle	
• Les coins d'apprentissage dans la classe	
• Rapporter les devoirs, les travaux, etc.	
• Autres	

Entrées et sorties de la classe	√
• Le début et la fin de la période ou de la journée	
• Prise de présences des élèves	
• Sortir et revenir dans la classe pendant un enseignement	
• Autres	

En dehors de la classe	√
• La salle de toilettes	
• La bibliothèque	
• Le laboratoire	
• La cour d'école	
• Les exercices de feu	
• Les casiers	
• La cafétéria	
• Autres	

Activités en classe	√
• Signaux pour obtenir l'attention	
• Matériel requis pour un enseignement	
• Discussions entre les élèves	
• Distribution de matériel spécifique	
• Demander de l'aide	
• Que faire lorsque le travail est terminé, temps libre	
• Les déplacements dans la classe	
• Autres	

Le travail en petits groupes	√
• Distribution du matériel	
• Déplacements entre les groupes	
• Déplacements des bureaux	
• Comportements (habiletés sociales) en sous-groupes	
• Autres	

Chapitre 3

Le «contrôle» durant l'action

L'histoire de France a permis d'introduire deux composantes importantes de la gestion de classe, soit la planification de situations pédagogiques et l'organisation en salle de classe. On pourrait maintenant par imagination suivre, comme dans un film, France durant sa première journée de classe, ou à d'autres moments pendant la première étape de l'année scolaire. Elle doit maintenant passer à l'action.

Son succès dépendra de ses habiletés à contrôler les activités planifiées et les comportements des élèves en salle de classe à travers les méandres d'imprévus de la vie quotidienne d'un enseignant. Elle devra être continuellement attentive aux événements qui facilitent la progression de l'action ou qui y nuisent. Elle devra aussi être prête à réagir rapidement à ces événements pour encourager ou rectifier certains comportements des élèves, et également pour maintenir un certain rythme dans le but de conserver leur motivation en évitant les répétitions inutiles tout en faisant respecter les règles de conduite convenues avec eux. À l'occasion, elle devra même être prête à dévier de sa planification pour réagir spontanément à certains incidents.

Il est évident que le recours à certaines routines organisationnelles favorisera la rapidité de ses réactions, mais elle devra avoir développé son sens de la perspicacité devant la multiplicité des stimuli qui surgissent à tout moment. Elle ne parviendra à maîtriser ces habiletés de gestionnaire que si elle développe le processus de la pensée réflexive (métacognition), c'est-à-dire la capacité de réfléchir rétroactivement à ses actions en salle de classe.

Le contrôle durant l'action se vit directement en classe. Il s'adresse aux habiletés de prise de décision de l'enseignant. Il s'intéresse à l'actualisation des attentes précises de l'enseignant à l'égard des comportements des élèves par une utilisation des routines, des procédures et des règlements. Il consiste aussi à surveiller les comportements des élèves et à fournir une rétroaction conséquente. Il veille au respect des règles de fonctionnement en groupe, ce qui permet d'intensifier l'implication de l'élève à la tâche et ainsi de réduire les risques de comportements inacceptables et perturbateurs.

Bibeau (1987, dans Legendre, 1988) a défini le contrôle durant l'action comme:

> Un ensemble d'habiletés d'observation, d'analyse et d'évaluation qui visent à assurer la conformité des opérations par rapport aux attentes planifiées, aux conditions de réalisation prescrites, aux exigences réglementaires et procédurielles, et qui permettent aussi de corriger la situation durant l'action (p. 122).

Selon nous, le contrôle durant l'action repose sur quatre habiletés principales:

- définir auprès des élèves ses attentes avec clarté et fermeté, tout en partageant la responsabilité du climat de la classe;
- enseigner les règles de fonctionnement en salle de classe;
- être hypersensitif au déroulement global de l'action ainsi qu'au mouvement individuel;
- réagir aux différents mouvements qui surviennent en salle de classe.

3.1 Habileté à définir ses attentes

Lors des premières rencontres avec ses élèves, l'enseignant doit se consacrer à créer le climat et les conditions de travail en salle de classe. Pour ce faire, il précisera dès le premier contact ses attentes et sa tâche ainsi que ses limites, et il invitera les élèves à en faire autant. Ensuite, dans un climat de respect et de consensus mutuel, l'enseignant et ses élèves conviendront des routines, des procédures et des règlements en fonction de leurs attentes respectives ainsi que des conséquences logiques d'une infraction aux règles établies. Bien qu'il soit peu réaliste de tenter d'éliminer toutes les formes de mauvaise conduite, l'enseignant et les élèves fonctionneront mieux quand les attentes et les limites seront clairement définies. Chez les novices, le manque d'expérience, la crainte d'imposer des structures trop rigides, la difficulté de définir leurs propres attentes et de reconnaître les besoins des élèves sont les principales causes des difficultés personnelles rencontrées. Cet extrait du journal de bord d'un stagiaire illustre bien ce fait:

> Quand j'ai commencé à me montrer plus directif, quand j'ai établi mes propres règlements, je n'ai pas éprouvé de difficultés à me montrer ferme dans les conséquences. [...] Les élèves se sont montrés un peu surpris de cette nouvelle attitude, mais ils ont reconnu l'importance d'une structure organisationnelle à l'intérieur de la classe pour mieux fonctionner ensemble.

Ce stagiaire a donc constaté une nette amélioration sur le plan du contrôle durant l'action et une valorisation de son rôle à la suite de la mise en place de certaines routines.

Dans le tableau suivant, l'activité «Graffiti de la rentrée» offre à l'enseignant une façon de procéder en début d'année scolaire ou lors des premières rencontres pour définir ses propres attentes et recueillir celles des élèves face aux comportements acceptables et inacceptables en salle de classe.

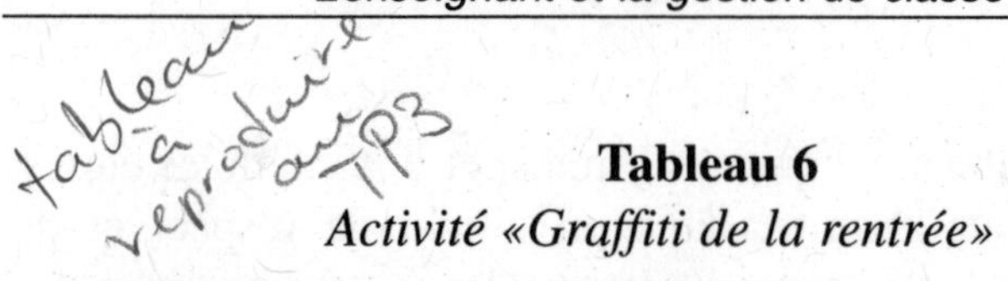

Tableau 6

Activité «Graffiti de la rentrée»

Déroulement (Étapes)	Actions de l'enseignant	Actions de l'élève
0. Organisation spatiale et matérielle	• regroupe les bureaux en îlots de ? et y colle une lettre du mot «attentes» • dépose une grande feuille numérotée de 1 à ... séparée en deux colonnes: les comportements acceptables et ceux inacceptables • écrit l'énoncé d'un comportement social au verso de la grande feuille	
1. Ouverture 1.1 Déclencheur (5 min.)	• salue chaque élève et lui remet une lettre du mot «attentes» • présente l'objectif de l'activité: recueillir les attentes des élèves face aux comportements acceptables et inacceptables en salle de classe • désigne un élève/équipe • écrit les comportements sociaux au tableau en les classant sous acceptable et inacceptable	• s'assoit au bureau correspondant à sa lettre • lit le comportement au verso et le juge
TRANSITION (Consignes générales pour l'activité)	• demande l'attention par ... • «À mon signal ..., écrivez spontanément et sans arrêt pendant trois minutes des comportements dans l'une ou l'autre des colonnes.» • «Au signal, arrêtez et passez votre feuille à l'équipe à votre droite.» • «Lisez ce que l'équipe précédente a écrit et écrivez de nouveau.»	• écoute
2. Première production (3 min.)	• gère le temps • stimule les équipes en écrivant des comportements un peu partout sur les feuilles	• écrit spontanément

Déroulement (Étapes)	Actions de l'enseignante	Actions de l'élève
TRANSITION	• «Au signal ..., arrêtez l'écriture.» • «Passez votre feuille.» • «Lisez ce qui a été écrit par l'autre équipe.» • «Écrivez de nouveau»	• passe la feuille
3. Deuxième production (3 min.)	• Idem à 2	• lit • écrit
TRANSITION	• Idem à la précédente	• passe la feuille
4. Troisième production (3 min.)	• Idem à 2 et 3	• lit • écrit
(Consignes pour le consensus en équipe)	• demande l'attention par ... • «Sélectionnez les 10 comportements les plus importants dans chaque colonne.» • «Établissez un ordre de priorité, 10 étant le plus important et 1 le moins.» • «Vous avez 20 minutes.»	• écoute
5. Consensus de l'équipe (20 min.)	• gère le temps • circule entre les équipes	• sélectionne • priorise
TRANSITION (Consignes pour la mise en commun)	• arrête le travail en équipe • vérifie si le temps a été suffisant • chaque équipe à tour de rôle donne dans l'ordre les comportements retenus (3 min. par équipe)	• écoute l'autre
6. Mise en commun (5 min.)	• donne le tour de parole • écrit au tableau les comportements de chaque équipe sous les deux catégories	• le rapporteur de chaque équipe fait le compte rendu; les autres membres complètent s'il y a lieu

Tableau 6 (suite et fin)

Déroulement (Étapes)	Actions de l'enseignant	Actions de l'élève
7. Fermeture (5 min.)	• les comportements priorisés serviront de base pour établir le contrat de classe lors de la prochaine rencontre	• compare sa feuille avec la compilation au tableau • pose des questions • commente

On notera de ce tableau que l'esprit de collégialité est respecté; nous savons tous qu'en dernier recours ou lors de conflit, c'est l'enseignant qui décidera en fonction d'un contexte socialement acceptable.

Une fois les attentes communiquées de part et d'autre, l'enseignant peut recourir à un «contrat social» ou «contrat de classe» pour établir le *modus vivendi* avec son groupe d'élèves. Ce contrat développé conjointement avec l'enseignant et ses élèves comporte en premier lieu des règles générales de vie en classe et, s'il y a lieu, des conséquences ou des pertes de privilèges qui, selon Curwin (1984), viendront renforcer les comportements acceptables et inhiber les comportements inacceptables lorsqu'une infraction sera commise. Il existe dans certains milieux scolaires au Québec un «conseil de coopération», l'équivalent d'un conseil de classe, qui se rencontre périodiquement pour assurer un fonctionnement démocratique du groupe (Jasmin, 1994). L'expérimentation du conseil de coopération par Gaudet (1995) montre que ce mode de fonctionnement démocratique accroît chez les élèves le sens des responsabilités, la capacité de s'exprimer devant un groupe, l'entraide et la coopération. Il semblerait même qu'il influence la résolution de problèmes en mathématiques.

Quoi qu'il en soit, l'établissement d'un «contrat social» en salle de classe devrait tenir compte des éléments suivants:

- Des règlements de l'école. Par exemple, ne pas porter de chandails avec des symboles violents.
- Des règlements négociables avec les élèves, et plus spécifiques à la classe, dont l'adoption repose à la fois sur un consensus entre l'enseignant et les élèves. Ces règlements sont en lien avec ceux de l'école.
- Des règlements établis par les élèves à l'endroit de l'enseignant (celui-ci n'étant pas tenu de tout accepter). Par exemple: «L'enseignant ne criera pas après un élève devant les autres élèves». Ce fonctionnement démocratique inciterait les élèves à adhérer à tous les règlements puisqu'ils se sont eux-mêmes engagés à l'égard de ces derniers.
- Des conséquences ou des pertes de privilèges que l'enseignant détermine avec l'intervention des élèves. Chaque règlement devrait faire l'objet d'une série de conséquences, à commencer par les moins sévères pour aboutir aux plus sévères. L'enseignant doit prévoir des conséquences positives pour récompenser les bonnes conduites et, dans tous les cas, ces conséquences doivent être constructives plutôt que punitives et constituer une suite naturelle et logique des règlements. Si les conséquences ou les pertes de privilèges ne sont pas appliquées, les élèves ne croiront pas aux règlements. Si elles sont trop dures et sans rapport avec les règlements, ils les percevront comme des punitions et se sentiront brimés et blessés, ce qui animera leur désir de faire des reproches à l'enseignant devant les autres élèves. En ce sens, plusieurs auteurs (Rancifer, 1995; Speirs, 1994) affirment que la mesure disciplinaire de suspension de l'école modifie très peu sinon aucunement le comportement déviant d'un élève. Nous risquons ainsi d'immuniser l'élève contre toute punition.
- Un vote de la classe pour déterminer les règlements à adopter, sauf les règlements obligatoires de l'école. Tous les règlements doivent être acceptés par au moins 75 % des élèves.

Par cette forme d'entente verbale et écrite, l'enseignant a plus de chance de voir ses élèves respecter les règlements, puisque sa structure repose sur un principe démocratique plutôt que sur une obéissance aveugle.

Entente négociée

Le *Tableau 7* présente un exemple de contrat comportemental en salle de classe:

TP3

Tableau 7
Exemple d'un contrat de classe avec des groupes d'élèves

1) Entrée en classe

Je suis en classe au son de ______________________.
Dès l'entrée en classe, je consulte le babillard pour les nouvelles du jour. Je ______________________.
Je prends note du menu écrit au tableau.
Je ______________________.

2) Durant les cours

Je lève la main pour exprimer mon opinion ou poser une question.
Pendant les travaux en équipe, je parle à voix basse pour communiquer afin de garder un climat de travail intéressant.
Je travaille en silence pendant les examens, les contrôles et les exercices individuels.
Je respecte le matériel ou le mobilier qui m'est prêté.
Au signal ______________________, j'arrête de travailler ou de parler et j'écoute les consignes.
J'utilise un crayon rouge pour faire les corrections des devoirs et des travaux et je range les autres.
Si je triche ou si je plagie, je me verrai attribuer la note de zéro pour le travail demandé.
Je prends des notes sur des feuilles mobiles.
Je ______________________.

3) Fin des cours

Je demeure à ma place jusqu'au son de la cloche.
Je place ma chaise et je rapporte ou range le matériel de classe.
Je ______________________.

4) Travaux, devoirs et étude

Je respecte les échéances pour la remise des travaux.
Je présente des travaux propres, bien aérés et comportant l'en-tête officiel de l'école.
Les travaux ne peuvent être rédigés en équipe, à l'exception de ______________________.
Je ______________________.

5) Matériel nécessaire

À chaque cours, j'apporte le matériel suivant:
a) agenda de l'école;
b) manuels de base;
c) feuilles mobiles, crayons à la mine et à bille, gomme à effacer; liquide correcteur interdit;
d) ______________________.

Toutes ces exigences conduisent à la création d'un climat de travail intéressant pour tous ainsi qu'à un fonctionnement en groupe détendu et agréable. Ces exigences sont en accord avec les règlements de notre école.
Bonne et heureuse année scolaire à chacun de vous.
En signant, je m'engage à respecter ces exigences durant toute l'année scolaire 19___-19___.
L'élève: ______________________
La direction de niveau: ______________________
L'enseignant: ______________________
Le (s) parent (s): ______________________

Il est à noter que ce contrat de classe ne comporte pas de conséquences ou de pertes de privilèges. Elles seront insérées, par voie de négociation avec les élèves, au fur et à mesure que des manquements aux règles se produiront. Encore une fois, la démocratie est présente au cœur même du processus de socialisation des élèves.

3.2 Habileté à enseigner des règles de fonctionnement en classe

Nous avons vu dans le chapitre précédent que la vie en salle de classe est gouvernée par un ensemble de règlements, de procédures et de routines d'organisation sur les plans social, didactique, matériel et relationnel pour différentes situations, à savoir:

- le travail individuel (périodes de prise de notes, de lecture, d'exercices, etc.);
- le travail d'équipe (critères de formation, rôle de chacun, évaluation de l'équipe, etc.);
- les différentes parties d'un cours (ouverture, menu, fermeture, etc.);
- les activités non académiques (entretien, déplacements, rangement du matériel, etc.);
- les échanges verbaux entre enseignant/élèves ou entre élèves (un seul parle à la fois, lever la main pour intervenir, écoute, valorisation, périodes de questions ou de discussion, etc.);
- les échanges académiques (distribution et cueillette de matériel spécifique aux tâches d'apprentissage, mise en commun des travaux, etc.).

Les règlements ou règles de vie en groupe visent habituellement à régler des conduites susceptibles de perturber le déroulement des activités, de causer des blessures ou d'entraîner des dommages à la propriété; ils définissent la discipline à observer à l'intérieur des groupes et d'une institution. Ils sont généralement inclus dans l'agenda de l'élève ou le code de vie de chaque école.

Des études ont montré que les gestionnaires efficaces établissent les règles à suivre au début de l'année scolaire ou lors des toutes premières rencontres avec leurs élèves. Ils intègrent les règles de vie en groupe dans un système adapté aux élèves qu'ils expliquent délibérément. Elles sont présentées de façon concrète, explicite et fonctionnelle; les gestionnaires efficaces évitent la surcharge d'informations aux élèves en mettant d'abord l'accent sur les préoccupations immédiates pour ensuite introduire de nouvelles règles au besoin. Ces gestionnaires semblent aussi anticiper les perturbations et disposent de solutions facilement accessibles pour maîtriser des situations critiques. De plus, ils s'appliquent à rappeler régulièrement ces règles aux élèves pendant les premières semaines d'école, sans intervention coercitive.

La clarté et la compréhension des règles sont des critères jugés essentiels pour que les élèves et l'enseignant puissent facilement voir quand un règlement est violé. Elles doivent donc être exprimées noir sur blanc. Par exemple: «Quand vous voulez intervenir, levez votre main» ou «Quand la cloche sonne, vous devez être assis à votre place». Si les règles sont vagues, les élèves auront de la difficulté à comprendre le lien entre leur comportement et ses conséquences. De plus, si les principes sous-jacents restent sans explications, les élèves ignoreront les raisons justifiant les règles et risqueront de ne pas les respecter. L'enseignant doit donc expliquer les principes qui régissent les règles pour que l'élève prenne sa conduite en main et devienne responsable. Ce modèle axé sur la responsabilisation de l'élève est plus en accord avec la composition d'une classe type qui généralement comporte trois groupes d'élèves: 80 % qui violent rarement les règles ou qui obéissent aux demandes de l'enseignant, 15 % qui les violent régulièrement et 5 %, presque toujours. Un bon code de conduite doit permettre de contrôler les 15 % sans aliéner les 80 % et sans délaisser les 5 % (Curwin, 1984; Rhode *et al.*, 1995). Il ne suffit pas de contrôler les 15 % qui dérangent régulièrement; l'intervention de l'enseignant doit mettre un terme au comportement des élèves perturbateurs tout en faisant de la situation d'apprentissage une expérience plus positive pour tous les élèves (Canter, 1988). Cette distribution du comportement des élèves dans un groupe caractérise bien les classes dites hétérogènes qui sont constituées d'élèves très différents sur les plans culturel, personnel, intellectuel et social.

Il est important que les élèves comprennent les règles adoptées et puissent justifier eux-mêmes leur adoption. L'enseignant doit donc demander aux élèves pourquoi telle règle existe plutôt que de l'expliquer lui-même. De plus, il se doit de sonder ses élèves pour vérifier s'il s'agit d'une règle raisonnable, juste et combien d'entre eux y adhèrent. Si des élèves s'y opposent, l'enseignant peut proposer une discussion où dans un tel cas l'influence des pairs efface le doute chez les quelques dissidents. Puis, l'enseignant peut assurer un suivi, en posant par exemple une affiche des règles à suivre sur le mur de la classe, en instaurant un carnet de conduite individualisé et en les remémorant oralement à l'occasion (Yorke, 1988).

Comme nous l'avons également présenté au chapitre 2, un système de gestion doit être en accord avec la personnalité et les capacités de l'enseignant. Le système proposé ici (Walsh, 1986) semble répondre à ce désir. Cette façon d'enseigner les règles et les routines variera en fonction de l'âge des élèves, des attentes réciproques, des caractéristiques du groupe et de la personnalité de l'enseignant.

Premièrement, l'enseignant écrit au tableau les principes qui sous-tendent les règles:

1. Je serai attentif.
2. Je serai respectueux.
3. Je serai pris au sérieux.
4. Je serai responsable de mes actes.

Deuxièmement, il explique ces principes par des règles:

1. Quand une personne parlera, nous l'écouterons.
2. Je ne me moquerai de personne.
3. Quiconque peut poser une question sans avoir peur d'être ridiculisé.

4- Tout acte a une conséquence et celle-ci est reliée à l'acte.

Troisièmement, l'enseignant corrige immédiatement toute mauvaise conduite survenant durant ou après son explication en rappelant la règle à l'élève: «Paul, lis la règle 2 dans ta tête.» S'il recommence, il lui répète: «Paul, lis la règle 2 et pense à ce qu'elle signifie.»

Quatrièmement, l'enseignant leur explique que chaque fois qu'ils compromettront le droit d'un autre élève, ils auront un rappel et il leur dira: «Maintenant, sais-tu ce que tu dois faire et ne pas faire, ou voudrais-tu plus d'explications?» Après chaque cours, l'enseignant note sur des fiches de suivi les comportements inacceptables et les rappels pour se faciliter la tâche si, plus tard, il doit rencontrer les parents d'un élève. Se référant au système scolaire du Québec, ces fiches pourraient faire l'objet d'un plan d'intervention personnalisé (PIP). Voici un commentaire que faisait un enseignant-associé à son stagiaire:

> Tu devrais essayer de rendre les élèves responsables au lieu de leur imposer bêtement des règlements. En adoptant, par exemple, la méthode de Walsh (1986) qui consiste à écrire au tableau les règlements, puis à expliquer la signification de ceux-ci. Ensuite, tu dois corriger la conduite de l'élève lorsqu'il viole le règlement en lui demandant de répéter dans sa tête ledit règlement. Si l'élève récidive sur le même règlement, alors tu lui demandes de penser à la signification du règlement. Par conséquent, tu dois noter le nombre de comportements inacceptables et après trois rappels, l'élève sera convoqué à une rencontre après l'école, avec l'enseignant.

Cinquièmement, l'enseignant explique qu'après trois rappels, les parents seront convoqués à une entrevue après l'école et avisés de la façon suivante: «Mme Lebrun, Paul arrivera 30 minutes plus tard aujourd'hui. Nous devons discuter des différentes façons de résoudre un de ses problèmes.» Ainsi, ce parent évitera d'associer l'entrevue à une retenue ou une punition et l'associera plutôt à une tentative de trouver ensemble une solution au comportement perturbateur de son enfant.

En résumé, un contrat de classe pourrait reposer sur l'ensemble des éléments suivants:

1. L'assignation ou le choix des places des élèves dans la classe.
2. Les routines pour le début et la fin des cours.
3. La distribution des tâches (rôles).
4. Les activités pour les élèves qui terminent une tâche avant le temps prévu.
5. Les règles pour quitter le local.
6. Les règles de rangement et de propreté du local.
7. Les exigences matérielles pour chaque matière.
8. Les signaux pour interagir en classe.
9. Les règles de circulation en classe.
10. Les règles pour la remise des travaux, des devoirs et de l'étude.
11. Les règles de communication.
12. Les habiletés sociales (respect des autres, écoute de l'autre, entraide).

3.3 Habileté à être hypersensitif

Qui un jour n'est pas entré dans une vieille école où toutes les salles de classe se ressemblaient, avec leurs bancs ancrés symétriquement dans le plancher devant le grand bureau du professeur toujours placé sur un podium qui, parfois, pouvait occuper tout le devant de la classe avec un grand tableau noir à l'arrière-plan. On peut imaginer que la fonction de ce podium était de permettre aux élèves de mieux voir l'enseignant. En fait, c'était l'inverse: ce podium plaçait l'enseignant dans une position qui lui permettait de mieux percevoir l'ensemble des élèves et chacun d'eux dans cet ensemble. Cet avantage, pourtant, n'assurait pas automatiquement un contrôle de l'action si l'enseignant n'était pas sensible au mouvement global de la classe ou au mouvement de chacun des élèves. Quand il fait ses démonstrations mathématiques au tableau, dos aux élèves, le professeur Gregory, dans le film *Un miroir à deux visages*, est une belle illustration d'un enseignant qui ne se préoccupe pas de ce qui se passe derrière lui quand il enseigne.

L'hypersensitivité est cette habileté que développe un enseignant au cours de sa carrière et qui lui permet d'être continuellement attentif aux élèves, au matériel, et à la mouvance de ces entités physiques durant une période de classe. L'hypersensitivité s'adresse aussi au mouvement psychologique et pédagogique de la collectivité des élèves ainsi que de chacun d'eux durant les activités en salle de classe. L'enseignant, par exemple, percevra rapidement que les élèves commencent à se désintéresser collectivement d'une activité. De la même manière, il s'apercevra rapidement qu'un élève dans un groupe est en train de faire dévier l'action hors de l'objectif visé. Il interviendra immédiatement auprès de l'élève qui est à l'origine d'un tel comportement (Kounin, 1970 dans Doyle, 1986). Nous avons rencontré chez nos stagiaires plus d'une difficulté dans la maîtrise de cette habileté:

> Plusieurs comportements inacceptables (perturbateurs) d'élèves m'ont échappé lorsque je donnais des cours magistraux. Ces événements étaient particulièrement fréquents lorsque je devais me servir du tableau ou du rétroprojecteur, car mon attention était alors portée sur la matière que j'avais à exposer. Certains élèves en profitaient pour [faire autre chose]... Je savais vite détecter les élèves perturbateurs, mais j'éprouvais des difficultés à freiner leurs mauvais comportements.

> Mon manque de rapidité d'intervention auprès des élèves ayant des comportements inacceptables en classe (parler fort, se déplacer constamment dans la classe, lire une revue...) influence d'autres élèves...

Cibler rapidement l'instigateur qui se trouve à la source d'une infraction est effectivement le premier comportement efficace de l'hypersensitivité. Le deuxième serait de ne pas oublier d'éléments perturbateurs. Enfin, un dernier comportement porterait sur le temps de réaction: l'enseignant doit réagir rapidement afin d'éviter la propagation ou une augmentation en intensité de la perturbation.

L'hypersensitivité de l'enseignant

Dans les paragraphes qui suivent, nous nous intéresserons à certains aspects particuliers où l'hypersensitivité peut être mise en évidence, à savoir être hypersensitif dans les situations de chevauchement et utiliser la mobilité pour favoriser cette forme de conscience active en salle de classe.

3.3.1 Le chevauchement

La situation de chevauchement quand l'enseignant doit gérer plus d'un événement ou plus d'une activité à la fois est l'une des grandes difficultés que rencontre même l'enseignant expérimenté. Par exemple, nous la retrouvons chez l'enseignant qui dirige un groupe de lecture pendant qu'il garde un œil sur le reste de la classe tout en étant capable d'intervenir auprès d'un élève perturbateur sans arrêter le groupe de lecture ou sans déranger la classe en entier. Une enseignante racontait à ce sujet:

> Lorsque les élèves posent des questions et que je suis à l'avant de la classe, toute ma concentration est portée sur ces élèves et je délaisse le groupe. Aussi, lorsque les élèves font des exercices individuellement en classe, je consacre trop de temps à certaines élèves et j'oublie encore le reste du groupe.

C'est une difficulté fréquemment rencontrée chez les stagiaires et les novices; ils s'adressent à un élève et oublient le reste du groupe. Nous avons constaté que l'enseignant qui maîtrise l'hypersensitivité aura plus de facilité dans les situations de chevauchement.

3.3.2 La mobilité de l'enseignant

Nous savons (Fifer, 1986) que le nombre d'incidents perturbateurs dans une classe augmente avec la distance physique entre l'enseignant et ses élèves. En ce sens, Gunter *et al.* (1995) a noté qu'une proximité efficace entre un enseignant et un élève se situerait à l'intérieur d'un rayon de un mètre. En conséquence, les élèves assis derrière la classe sont plus susceptibles de perturber le déroulement des activités. Cette constatation est représentée par un triangle dont l'apex se trouve devant la classe (zone d'action de l'enseignant) et la base, à l'arrière de la classe. En passant le plus clair de leur temps devant la classe, de 75 % à 100 %, les enseignants voient donc le nombre et la fréquence des incidents augmenter chez les élèves se trouvant plus éloignés d'eux, c'est-à-dire à l'arrière de la classe. C'est pourquoi il est proposé aux enseignants-stagiaires de se déplacer davantage, ou de passer au moins 50 % de leur temps ailleurs que devant la classe. Nous avons observé une diminution, voire une disparition de la fréquence des incidents, ainsi qu'une augmentation des interactions enseignant/élèves pour les enseignants qui suivent cette règle. Cela ne signifie pas que l'enseignant doit simplement donner ses enseignements en se tenant sur le côté ou derrière la classe; cela ne ferait que déplacer le triangle. Il doit plutôt se déplacer périodiquement et stratégiquement d'un côté à l'autre, le long des rangées et de l'avant vers l'arrière; il ne doit pas rester sur place. L'enseignant doit pouvoir voir chaque élève et circuler librement. Un novice raconte:

> Je perds à l'occasion le contrôle du fond de la classe parce que les élèves ont l'impression que je ne m'adresse pas nécessairement à eux. Je me fie aux réponses (sur la compréhension du cours) des élèves de la première rangée...

Cette habileté, que l'on pourrait aussi nommer «savoir se situer dans la géométrie de la classe», s'avère souvent efficace pour ramener un sous-groupe d'élèves dissipés ou pour attirer l'attention d'un élève distrait. Cette aisance à laquelle peut parvenir l'enseignant de carrière d'être en mouvement dans la géométrie de sa classe, selon certains types de situations, peut être un code qui signifie à tous les élèves qu'ils peuvent à leur tour être approchés s'ils dérangent la classe ou s'ils sont distraits. En fait, cette mobilité de l'enseignant peut servir non seulement à réagir à des situations, mais aussi à montrer aux élèves l'intérêt qu'on leur porte.

3.4 Habileté à réagir

Ce n'est pas tout d'être hypersensitif à l'évolution des situations en classe, il faut aussi savoir réagir pour contrôler l'action. Cette habileté à réagir rapidement et avec efficacité dans des situations difficiles à contrôler s'acquiert, à long terme, par la pensée réflexive et permet à chaque enseignant d'en arriver à se constituer un ensemble de réflexes disponibles à tout moment.

Parmi les situations où l'enseignant doit réagir spontanément et avec célérité, il y a certes l'exposé magistral pendant lequel il rencontre fréquemment des éléments perturbateurs: l'élève qui veut faire son «comique» ou encore l'élève qui est «dans la lune». Jones (1981) est l'un des auteurs qui suggère à l'enseignant plusieurs modalités de réactions pour composer avec les éléments perturbateurs dans le déroulement d'un enseignement en salle de classe. Il a observé que 50 % du temps réel d'enseignement est perdu à cause des élèves qui ne sont pas attentifs ou d'autres qui attirent l'attention par tous les moyens possibles (80 % de ce temps perdu est causé par des élèves qui parlent sans permission). Parmi ces modalités de réactions de l'enseignant, il y a le langage du corps: Jones affirme que 90 % de la discipline dépend d'un non-verbal efficace. Par exemple, le simple contact visuel qui couvre tout le groupe ou qui s'adresse spécifiquement à un élève est souvent suffisant pour rétablir l'ordre. Le langage du corps comprend les habiletés suivantes:

- la façon de se tenir;
- le langage gestuel;
- l'expression faciale;
- le contact visuel.

Une autre catégorie de réactions comprend l'intervention par:

- la parole;
- le silence;
- le bruit.

La façon de se tenir

La façon de se tenir a un effet d'entraînement sur des élèves. Il est fort probable qu'un enseignant qui s'assoit en mettant les pieds sur son bureau aura de la difficulté à exiger de ses élèves un maintien convenable. Un enseignant exigeant pour lui-même aura plus de facilité à être exigeant envers ses élèves. La posture révèle en plus la personnalité et traduit souvent l'humeur et l'intimité. Les élèves sauront décoder rapidement, par la posture de leur enseignant, ses anxiétés ou son enthousiasme.

Le langage gestuel

L'enseignant peut aussi intervenir par le geste. Un signe de la main peut déjà attirer l'attention d'un élève distrait. Le langage gestuel, aussi appelé le langage des signes, est une ressource très personnelle à chaque enseignant. À la longue, il devient un code de communication entre l'enseignant et ses élèves.

L'expression faciale

Très peu d'enseignants sont conscients de l'importance primordiale de cet autre mode de communication. C'est un mode d'expression naturel qu'on aurait peut-être avantage à conscientiser. Les acteurs qui, sur scène, réussissent le mieux à communiquer sont souvent ceux qui ont étudié leur propre mimique devant un miroir. Savoir utiliser un sourire pour encourager ou froncer les sourcils pour désapprouver, cela ne va pas toujours de soi.

Le contact visuel

Plusieurs enseignants débutants, par manque d'expérience, fixent des objets dans la classe pendant qu'ils font leur exposé pour ne pas avoir à affronter le regard des élèves. Savoir balayer fréquemment du regard toute la classe pour conserver l'attention du groupe d'élèves, ou faire un clin d'œil à un individu pour montrer qu'on lui porte attention sont des habiletés qui doivent être pratiquées et développées. Ces réactions impliquent une grande maîtrise de soi et peuvent pour certains individus demander un effort intensif.

En plus de ces expressions corporelles, d'autres types de réactions sont utilisées par l'enseignant pour demeurer en contrôle de l'action qui se déroule dans une salle de classe. Il s'agit de:

L'expression verbale

Elle est le mode de communication employé le plus naturellement par l'enseignant. Savoir intervenir par le questionnement, par l'émission d'un ordre; savoir maîtriser les intonations de sa voix; savoir à quel moment intervenir pour communiquer un message et être sûr qu'on a été compris; être conscient que répéter la même chose plusieurs fois est moins efficace qu'une seule intervention ferme; ce sont là des habiletés qu'on ne maîtrise pas toujours en début de carrière.

Le silence

Savoir utiliser le silence comme mode d'intervention est un art. Par exemple, quand l'élève parle à son voisin pendant que l'enseignant fait un exposé, le simple fait d'arrêter l'exposé pendant deux à cinq secondes peut suffire non seulement à attirer l'attention de l'élève indiscipliné, mais aussi servir d'avis à tous ceux qui seraient tentés de faire comme ce dernier.

Le bruit

Plusieurs enseignants expérimentés ont maîtrisé cet art de créer des bruits insolites pour attirer l'attention de toute une classe ou d'un élève. Qui, dans son expérience d'élève, n'a pas vu un enseignant se servir de sa brosse pour frapper le tableau ou de sa chaise ou de sa règle pour produire un bruit? Voilà un autre moyen utile pour réagir dans certaines situations.

Il y a aussi l'habileté du renforcement ou de l'encouragement qui passe par ces modes de communication verbale et non verbale. Cette autre habileté de l'enseignant permet de prêter une attention toute spéciale au comportement des élèves à une tâche d'apprentissage et à leurs productions. Albert (1995) dit que les enseignants ont seulement le pouvoir d'influencer les comportements des élèves et non de les contrôler ou de les changer. Il conseille alors à l'enseignant d'identifier le comportement de l'élève, de réagir immédiatement à un comportement inapproprié et de prévoir des encouragements. Il ajoute que le renforcement ou l'encouragement permet aux élèves de construire leur estime de soi et, par voie de conséquence, augmente leur motivation à coopérer ainsi qu'à apprendre.

Les périodes d'exercisation sont une autre situation où l'enseignant doit être aux aguets des élèves qui dévient l'attention de leurs collègues ou de l'élève qui attend une réponse depuis un bon moment ou de l'élève qui ne peut travailler seul. Dans une telle situation, l'enseignant ne peut réagir à toutes ces mains levées, il n'a ainsi pas le temps de voir tout le monde. Cette situation des élèves en attente peut alors les conduire à une démotivation, presque inévitablement à un désordre, qui peut perpétuer la relation de dépendance envers leur enseignant. En réponse à ces situations difficiles à gérer, Kounin (1977) et Jones (dans Charles, 1996, p. 137) ont décrit une habileté de l'enseignant qui consiste à stimuler les élèves pendant les activités réalisées individuellement ou en équipe. Voici une liste de comportements qu'ils suggèrent:

- organiser la disposition de la classe pour rejoindre facilement et rapidement chaque élève;
- exposer au tableau ou sur les murs du local des rappels écrits (schémas) auxquels les élèves seront référés plutôt que de répéter un même enseignement à chaque bureau;
- demander aux élèves de lever la main quand ils ont besoin d'aide;
- apporter une aide individuelle rapidement, et ce, en dedans de 20 secondes de la façon suivante: 1) trouver rapidement ce que l'élève a fait de bien, souligner ses progrès et l'encourager; 2) donner un indice (en référence aux rappels écrits) qui aidera l'élève à poursuivre son travail; 3) quitter immédiatement;
- donner aussi de l'aide aux élèves qui ne lèvent pas la main;
- placer le travail sur le coin gauche du bureau lorsqu'il est terminé afin que l'enseignant puisse le regarder tout en circulant;
- inviter l'élève qui a terminé son travail à aider un autre élève;
- valoriser le travail des élèves en demandant à l'élève de le présenter devant la classe ou en le commentant.

On rencontre aussi des situations où un élève cherche à entraîner l'enseignant dans une escalade d'argumentation ou d'affrontement. Pour éviter un tel enlisement, Walker (1995) suggère d'ignorer ou d'éviter d'entrer dans le jeu de l'élève par ces quelques comportements:

- ne faire aucune remarque ou demande à l'élève si ce dernier est agité;
- ne pas se laisser entraîner dans une séquence de questions-réponses sans fin;
- ne pas obliger l'élève à faire un geste avec lequel il est tout à fait en désaccord.

En résumé, toutes ces habiletés que nous venons de décrire servent à l'enseignant pour réagir selon les situations et demeurer en contrôle de l'action en salle de classe. Pour une majorité d'enseignants débutants, surtout durant les premiers mois de carrière, pendant cette période de survie, de «nage ou coule», de stress, de déceptions, vécue souvent de façon solitaire, comme nous l'avons déjà constaté dans notre thèse doctorale portant sur l'insertion professionnelle (Nault, 1994), il s'avère difficile de maîtriser en même temps toutes ces habiletés du contrôle durant l'action en salle de classe.

À notre avis, c'est de la maîtrise de cette dimension de la compétence à gérer une classe qu'est le contrôle durant l'action que dépend pour plusieurs le désir de poursuivre leur carrière d'enseignant ou d'abandonner cette profession en croyant qu'ils ne sont pas faits pour ce métier et qu'ils se sont trompés de parcours. Ceux ou celles qui ne réussissent pas très tôt à prendre le contrôle de la classe développeront rapidement un sentiment d'incompétence. Nous ne saurons trop insister sur la maîtrise de cette dimension de la gestion de classe qui elle-même est favorisée par une bonne planification et une bonne organisation. Pourquoi ne pas alors se donner, avant l'action, tous les atouts qui peuvent conduire à des succès?

Dans le prochain chapitre, nous invitons les enseignants, surtout les enseignants débutants, qui désirent améliorer cette base de la compétence professionnelle à gérer une classe en utilisant le mécanisme de la pensée réflexive, lequel permet de prendre conscience non seulement de ses erreurs mais également de ses bons coups, permettant ainsi la consolidation d'un «moi» professionnel de plus en plus performant comme c'est le cas dans plusieurs professions libérales.

3.5 Exercices de réflexion

1. Comment traiter le cas suivant:

C'est le cas d'un enseignant d'écologie, en première année d'insertion professionnelle; c'est aussi la première fois qu'il enseigne cette discipline. Il succède à un enseignant qui a pris sa retraite. Il a six groupes d'élèves en première secondaire. Deux de ces groupes sont jugés forts, trois sont réguliers et un, appelé «récupération faible», comprend 28 élèves âgés de 13 à 16 ans. Certains de ces élèves présentent des difficultés d'apprentissage. C'est avec ce groupe qu'il rencontre le plus grand nombre de difficultés de gestion de son enseignement.

Description du problème

Ces élèves ont besoin de bouger et de s'exprimer continuellement, ils respectent peu les consignes ou les autres élèves. Il y en a environ 12 sur 28 qui perturbent le déroulement d'un enseignement. Ces élèves perturbateurs sont répartis un peu partout dans la classe, ils parlent spontanément, produisant comme une sorte de réaction en chaîne. Par exemple, quand l'enseignant pose une question, un élève a à peine le temps de répondre que les autres commentent la réponse à voix haute. Ce phénomène se produit même quand il donne un enseignement magistral: tout à coup un élève émet un commentaire qui a plus ou moins rapport avec le cours; aussitôt la réaction en chaîne repart. Ce comportement semble s'être généralisé dans d'autres enseignements. Il n'y a pas de jour ni de période dans une journée qui soient plus calmes que d'autres.

Interventions réalisées

Au fil des semaines, on a rencontré quelques élèves individuellement après les cours pour échanger sur leur comportement en classe et trois sont allés au local d'exclusion pour une période de cours. Ces interventions n'ont pas porté fruits. L'enseignant s'est informé auprès de ses collègues qui enseignaient au même groupe. Il a constaté qu'eux aussi avaient certaines difficultés, mais qu'ils utilisaient des moyens oppressifs qu'il estime être à l'encontre de son idéologie en gestion des comportements d'élèves.

L'enseignant-titulaire a planifié une rencontre de classe. La rencontre devait durer 15 minutes, les élèves seraient assis en cercle. L'animateur a présenté le but de la rencontre et a posé une question ouverte qui invitait les élèves à s'exprimer à tour de rôle sur les comportements qu'ils aimaient ou qu'ils n'aimaient pas pendant les cours. Chacun devait répondre librement et les autres devaient s'abstenir de tout commentaire ou réplique pendant les réponses. La rencontre ne s'est pas déroulée comme prévu... L'enseignant a décidé de ne pas faire asseoir les élèves en rond à cause du bruit et de l'excitation que ce changement aurait produit. Il s'est appuyé sur l'avant de son bureau pour se rapprocher du groupe. Il a attendu une minute pour avoir le silence et a dit: «Je vous propose une petite rencontre de 15 minutes pour améliorer le climat pendant les cours, car certains élèves dérangent constamment, ce qui empêche les autres de suivre le cours.» Les réponses n'ont pas été celles que l'enseignant attendait. «On est un groupe faible et c'est normal qu'on déconne... On a trop de copies, de retenues.» Cette rencontre a duré 25 minutes. Au cours suivant, l'enseignant a voulu poursuivre la rencontre. Après huit minutes, ce fut la cacophonie, une perte de contrôle totale... Les cours suivants, il n'y eut aucune amélioration.

Cet enseignant est rendu à un point où il se demande quoi faire pour améliorer la situation. Que feriez-vous à sa place?

2. *Comment réagiriez-vous aux comportements des élèves dans les situations suivantes:*

Sylvie et Jean bavardent et rient pendant que vous expliquez l'algorithme de la division.

- Malgré votre intervention, Sylvie et Jean continuent...

- Malgré vos interventions, Sylvie et Jean continuent...

  Vous vous avancez calmement près de Sylvie et Jean, vous demandez au groupe:

- Sylvie et Jean continuent...

  Vous les regardez droit dans les yeux et vous leur dites:

- Malgré cette dernière réaction, Sylvie et Jean refusent de vous obéir.

  Alors, vous arrêtez le cours, vous

Si l'affrontement continue, vous contacterez

---

3. *La liste d'énoncés suivants vous invite à réfléchir sur la situation du travail individuel quand il y a plus de dix mains levées dans un groupe.*

	Oui	Non
• Pouvez-vous répondre à la plupart des mains levées? Si non, pourquoi?		
• Avez-vous suffisamment de temps pour donner l'aide demandée? Si non, pourquoi?		
• Certains élèves perdent-ils du temps à vous attendre? Si oui, pourquoi?		
• Sentez-vous vos élèves dépendants de vous? Si oui, pourquoi?		
• Pouvez-vous atteindre facilement le bureau de chaque élève? Si non, pourquoi?		
• Plusieurs élèves posent-ils la même question? Si oui, pourquoi?		
• Avez-vous prévu des rappels, des explications, des consignes, sous forme de schémas écrits ou autres pour soutenir les exercices demandés? Si non, pourquoi?		
• Répétez-vous les mêmes réponses à plusieurs élèves? Si oui, pourquoi?		
• Pouvez-vous identifier rapidement ce que l'élève a fait de correct et le lui dire? Si non, pourquoi?		
• Pourriez-vous, par un indice, ramener un élève au travail? Si non, pourquoi?		
• Êtes-vous aussi attentif aux élèves qui ne lèvent pas la main? Si non, pourquoi?		
• Vos interventions dépassent-elles une minute par élève? Si oui, pourquoi?		

Chapitre 4

Comment devenir efficace en gestion de classe

Dans les chapitres précédents, nous avons présenté des éléments qui forment le corpus de la gestion de classe. Ils nous furent inspirés par notre expérience personnelle et par de nombreux auteurs qui se sont intéressés aux divers facteurs qui contribuent au développement et à l'amélioration de l'habileté à gérer une classe. Il va de soi que la gestion d'une classe est considérée comme l'une des composantes de base de la compétence professionnelle d'un enseignant à quelque niveau que ce soit. Cependant, un tel exposé demeurerait enfermé dans les tiroirs du pupitre de la théorie si cet ensemble d'éléments n'était pas activé par des exercices pratiques en milieu scolaire.

En effet, nombreux sont les enseignants de carrière qui ont acquis pendant leur pratique une certaine assurance sur plusieurs des éléments de gestion de classe présentés dans ce guide. Ces acquis furent consolidés pour les uns et les autres, soit à la suite d'essais et d'erreurs au cours de leur carrière, soit par des «trucs» qu'ils se sont échangés entre collègues, soit encore par une réflexion occasionnelle sur des situations problématiques qui perduraient et qui les rendaient mal à l'aise dans leur manière de conduire un groupe d'élèves en situation d'enseignement. Nous croyons que ces enseignants expérimentés auraient pu même accélérer leur évolution professionnelle s'ils avaient eu en main à cette époque un inventaire de points de repère pour orienter leur réflexion sur leur pratique.

Nous avons signalé plus haut que l'enseignant doit mettre en pratique les éléments de la gestion de classe pour développer sa compétence professionnelle. C'est à l'occasion de cette pratique qu'il pourra utiliser le mécanisme de la «pensée réflexive» hautement reconnue dans les écrits portant sur la profession enseignante. Pour cette raison, dans le présent chapitre nous cernerons le processus sous-jacent à la pensée réflexive qui contribue au développement et à la maîtrise de l'habileté à gérer une classe. Ensuite, nous suggérerons un instrument de support à l'exercice de la pensée réflexive en tenant compte d'un inventaire des éléments essentiels à maîtriser pour devenir efficace en gestion de classe.

4.1 La pensée réflexive: mode d'apprentissage à la gestion de classe

À maintes reprises dans cet ouvrage nous avons tenté d'incarner la gestion de classe en utilisant l'image de France ou des extraits de journaux de bord provenant de stagiaires en enseignement. Rappelons-nous, entre autres, cette citation:

> Au début, mon plus gros problème sur le plan de la gestion du temps, c'était de doser le nombre d'activités en fonction de la durée d'une période de cours. Mes activités étaient beaucoup trop longues (par exemple, exposé de 60 minutes lors de la prestation de mon premier cours), surtout lorsque je faisais des exposés magistraux. Je suis consciente du fait que la participation des élèves diminuait de beaucoup dans ces cas et que j'avais sans doute perdu l'attention de plusieurs d'entre eux à certains moments. Heureusement, j'ai pu m'en rendre compte moi-même en analysant le soir ce qui n'avait pas marché dans la journée!

Ce passage de l'histoire de France met en œuvre le mécanisme de la pensée réflexive. Dans cet extrait concernant la fin de sa journée, elle analyse ce qui n'avait pas réussi dans sa gestion du temps. Cet acte de rétroaction reflète bien ce qu'on entend par la pensée réflexive orientée sur un des éléments de la gestion de classe. Cette réflexion l'a conduite à rectifier ses activités futures, à mettre en place des moyens efficaces pour mieux contrôler la durée de ses activités d'apprentissage.

Le concept de pensée réflexive est au cœur des discussions sur les approches de formation de maîtres depuis le début des années 80, surtout dans les pays anglo-saxons tels que l'Angleterre, les États-Unis, le Canada anglais. Les auteurs s'y réfèrent sous différentes appellations telles que mode de raisonnement (Dewey, 1904), professionnel réfléchi (Schön, 1983), enseignant-chercheur (Stenhouse, 1975), théorie cognitiviste (Borko, 1988) et théorie critique (Elliot, 1987). Toutes ces définitions ont en commun un processus de réflexion qui favorise le développement professionnel. Ce processus est présenté soit comme un mode d'enquête réfléchi sur l'environnement éducatif, soit comme une analyse constante des situations problématiques, soit encore comme une évaluation critique de la pratique. Il se distingue alors des autres modes d'apprentissage professionnel tels que l'essai et l'erreur, l'imitation ou la modélisation, et l'étude de cas. Les écrits sur la pensée réflexive de l'enseignant peuvent paraître comme quelque chose d'ambigu parce qu'ils réfèrent à des produits aussi diversifiés que:

1. la pensée interactive de l'enseignant pendant qu'il enseigne;
2. la pensée de l'enseignant pendant qu'il planifie;
3. la pensée de l'enseignant sur ses croyances par rapport aux élèves, à la classe et à l'apprentissage;
4. la perception de l'enseignant sur sa propre performance, sur ses routines et sur ses activités automatisées qui constituent son répertoire pédagogique;
5. la conscientisation des procédures utilisées par l'enseignant pour résoudre les problèmes en classe (Kagan, 1988).

Comme les différents spécialistes qui se sont intéressés au processus de la pensée réflexive, on peut facilement tomber dans une certaine ambiguïté si on ne précise pas au préalable l'acte, l'objet et le moment de sa mise en œuvre.

En ce qui concerne la gestion de classe, la pensée réflexive dans ce guide porte sur la planification de situations pédagogiques, l'organisation en salle de classe et le contrôle durant l'action. Ce sont là les éléments qui constituent les objets de l'acte réflexif. Notons que ces objets se situent dans le temps: avant (phase proactive), pendant (phase active) et après (phase rétroactive) l'action en salle de classe. On peut donc considérer que la pensée réflexive en gestion de classe est une réflexion sur cet ensemble d'éléments portant sur des actions précises en salle de classe. Ce processus est illustré par le tableau suivant dans lequel la pensée réflexive tient compte de l'amont et de l'aval de l'action en gestion de classe:

Tableau 8

Le processus de la pensée réflexive en gestion de classe

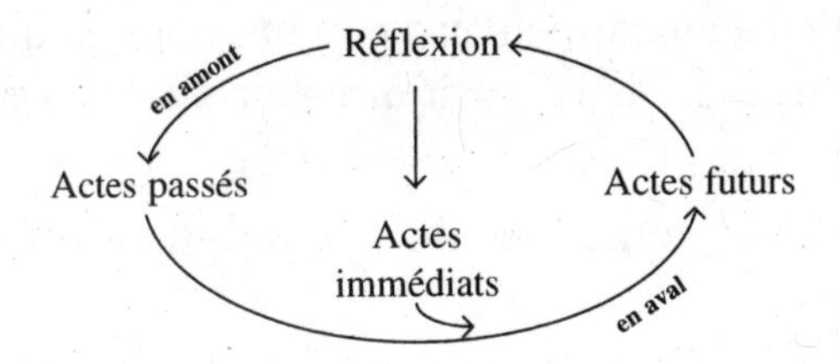

C'est donc dire que la pensée réflexive comprendra en situation de gestion de classe tout effort de conscientisation d'actes à venir et d'actes passés, incluant la réflexion instantanée faite au moment où l'action se déroule. C'est un saut du connu vers l'inconnu constitué d'inférences (suggestion d'actions) émises à partir de l'expérience vécue et qui seront par la suite testées dans l'action future.

Si on applique ce schéma à l'exemple de France qui se rend compte d'un problème dans sa gestion du temps, l'enseignante remarque que sa planification avait prévu un certain nombre d'activités pour atteindre les objectifs spécifiques de sa matière. Son cours devait conduire immédiatement à la planification du cours suivant. Le fait de ne pouvoir atteindre tous les objectifs visés entraînait comme conséquence pour elle de refaire sa planification des cours à venir. Elle se rend compte de l'importance de ce problème, car de tels événements causent des pertes importantes d'énergie qui seraient probablement récurrentes tout au long de sa carrière. Heureusement, à la fin de son premier enseignement, elle se rend compte elle-même du problème et de son importance. C'est alors que le mécanisme de la pensée réflexive apparaît quand elle se met à analyser le soir même ce qui n'avait pas marché dans la journée. Elle fait donc une réflexion en amont de l'action passée, à savoir ce qui n'a pas fonctionné dans sa planification, soit dans l'organisation de ses routines ou de son matériel, soit dans le contrôle de l'action lors de l'ouverture de son cours, des transitions ou dans la transmission des consignes. Cette pensée rétroactive la projette en aval de l'action et lui permet de reconstruire son système en tentant des correctifs. À sa prochaine leçon du lendemain, elle pourra vérifier l'efficacité de ces correctifs et, de nouveau, elle reviendra en amont de son action jusqu'à ce qu'elle ait maîtrisé cette habileté à gérer le temps.

Comme dans le cas de France, ce mécanisme de la pensée réflexive, utilisé régulièrement dans une évolution professionnelle, permet tant à l'enseignant débutant qu'à l'enseignant expérimenté, non seulement de corriger les problèmes qui surgissent occasionnellement, mais aussi d'identifier des problèmes imperceptibles durant l'action si les objets sur lesquels porte la pensée réflexive sont déjà identifiables à l'aide d'un inventaire de situations importantes pour l'acte professionnel d'enseigner.

En tant que superviseure de stages et chargée de cours en micro-enseignement, il m'est arrivé à plusieurs occasions de guider des stagiaires et des enseignants associés à l'aide des éléments de la gestion de classe contenus dans ce guide. Cet inventaire m'a permis de cibler des comportements déjà maîtrisés et d'autres que l'on voulait améliorer. À partir de ces cibles, des objectifs étaient alors formulés et intégrés dans un plan de développement professionnel personnalisé (PDPP). Ce plan visait à guider et à soutenir l'enseignant ou l'étudiant dans l'acquisition du rôle pratique d'enseigner. L'habileté à rétroagir sur les actes professionnels passés s'acquiert par un entraînement systématique et par une pratique régulière, parfois guidée, pour en arriver à une consolidation des éléments composant la gestion de classe.

4.2 Le développement de la pensée réflexive

Il est possible que certains enseignants d'expérience se soient reconnus dans l'exposé que nous venons de faire sur la pensée réflexive. Ceux-là ont eu l'occasion, à certains moments de leur carrière, d'utiliser cette ressource personnelle importante de la pensée réflexive qu'ils possédaient déjà de façon naturelle. Sporadiquement, à l'occasion de situations problématiques ou pour améliorer leur enseignement, ils rétroagissent de façon réfléchie sur les causes d'inefficacité de la conduite de leur classe.

Pour ceux qui n'ont pas eu l'occasion de développer une pensée réflexive systématique, une bonne manière d'y parvenir serait de tenter de reproduire, à la fin d'un enseignement par exemple, la séquence des actes qu'ils ont faits. Déjà, plusieurs éprouveront une certaine difficulté à reconstituer la réalité de l'action, étant trop subjectifs ou idéalisant leur performance. De plus, cette révision rétroactive peut demeurer incomplète et voiler inconsciemment des aspects importants du déroulement d'un enseignement. Dans ce sens, notre guide peut aider à compenser ce deuxième aspect en offrant des cibles de réflexion au praticien de l'enseignement.

Cependant, la simple utilisation de ces éléments composant la gestion de classe ne corrigera pas la subjectivité de l'individu qui s'entraîne à la rétroaction dans le but de développer sa pensée réflexive. Dans certains cas, il sera même utile de confronter ses propres observations à celles d'un observateur externe dans le but d'objectiver la réalité de son action. C'est quand on réussit à restituer fidèlement une situation que la pensée réflexive entre en action dans le but d'analyser les situations, soit pour découvrir les causes d'un problème, soit pour identifier les comportements qui pourraient être améliorés, soit enfin pour consolider des actes qui se sont avérés efficaces.

Malheureusement, il n'existe pas de critères universels pour juger de l'efficacité ou de l'inefficacité d'un acte professionnel en situation de classe. Chaque enseignant développe des habiletés individuelles et personnalisées correspondant à sa personnalité. Par exemple, un enseignant pourra se permettre des transitions plus longues parce qu'il sait comment compenser par sa performance sur le plan de l'exposé, alors qu'un autre enseignant devra économiser du temps dans des situations analogues pour pouvoir élaborer plus longuement sur le plan des explications ou des consignes à transmettre.

Il y a des conséquences négatives aux transitions incontrôlées dans lesquelles les élèves agissent selon leur bon vouloir et se mettent à chahuter. L'enseignant inconscient qui n'a pas développé une habileté à contrôler ce désordre risque de se trouver dans une situation problématique permanente d'indiscipline sur le plan de la gestion des transitions. Encore une fois, rappelons qu'un observateur externe bien formé à la rétroaction et aux contenus de gestion de classe pourrait devenir une aide précieuse à tout enseignant qui connaît des difficultés permanentes ou qui est en stage de formation pratique.

4.3 Inventaire des comportements de gestion de classe (ICGC)

Pour aider à acquérir et à améliorer la compétence professionnelle en gestion de classe, nous avons élaboré un inventaire de comportements en gestion de classe (ICGC) qui cible la pensée réflexive sur des objets spécifiques provenant des écrits sur la gestion de classe ainsi que sur l'expérience de l'auteur dans le domaine de la formation des maîtres.

La structure organisationnelle de cet inventaire respecte les trois grandes divisions du présent ouvrage: la Planification de situations pédagogiques, l'Organisation du fonctionnement en salle de classe et le Contrôle durant l'action. Dans chacune de ces trois catégories se retrouvent les principaux éléments qui constituent la compétence professionnelle en gestion de classe.

Selon les circonstances, on peut restreindre l'utilisation de cet inventaire à une seule catégorie d'éléments ou à plusieurs. De même qu'on peut sélectionner à l'intérieur d'une catégorie les éléments qui conviennent à une situation particulière. Cette procédure d'offrir une sélection d'éléments, tirés de l'inventaire, à des enseignants en formation initiale nous a permis à l'occasion d'un cours en gestion de classe sur Internet[2] de personnaliser l'acquisition de certaines compétences correspondant aux besoins individuels de chaque candidat à la profession. Cette expérience de formation des enseignants, à partir de cibles tirées de l'ICGC, pourrait également inspirer plusieurs commissions scolaires pour le perfectionnement de leurs enseignants.

De plus, la facture de cet inventaire prévoit une transformation quantitative pour l'observation. Ainsi pour chaque élément de l'inventaire, nous présentons une droite graduée de 0 à 10 permettant de situer, par suite d'une autoévaluation ou de l'observation d'un sujet, le degré de maîtrise du comportement professionnel visé par cet élément observé. Évidemment, un comportement bien maîtrisé mérite la cote 10, alors qu'un comportement absent vaudrait 0. De la sorte, il devient possible d'établir un score composite pour un ensemble d'éléments choisi par l'utilisateur. En d'autres mots, le score de chaque

2. Nault, T. (1996). PED 349 La gestion de classe: http://www.callisto.si.usherb.ca/~pedagogi

élément est additif et on peut former un score global pour toute catégorie d'éléments désirés. Ce système quantitatif permet alors d'évaluer l'évolution d'un sujet à différents moments[3].

4.4 Différents contextes d'utilisation de l'ICGC

Cet inventaire pourrait être employé dans cinq contextes différents selon que le sujet utilisateur est un étudiant-maître, un formateur en milieu universitaire, un formateur en milieu pratique, un enseignant en exercice ou un administrateur pédagogique (directeur, conseiller pédagogique...).

L'étudiant-maître

L'ICGC peut être utile à l'étudiant-maître en le sensibilisant aux embûches qu'ont rencontrées des enseignants d'expérience et que les écrits ont répertoriées comme étant des sources importantes de difficultés en gestion de classe.

Dans un premier temps, l'étudiant-maître pourrait s'en servir dans un cadre de proaction quand il veut se préparer à un stage. Par anticipation, en fonction de ses ressources personnelles et de ses expériences vécues, le stagiaire pourra s'arrêter sur certains de ces éléments où il se sent moins expérimenté. Par exemple, un étudiant-maître qui aurait eu une expérience comme moniteur de terrain de jeux pourrait se sentir très confiant en regard de sa préparation de cours pour l'ouverture d'une classe et se croirait habile à motiver les élèves en fonction d'une première activité. Il pourrait cependant ne pas trop savoir comment s'y prendre pour exécuter une transition entre

3. L'ICGC a servi de canevas à un instrument de recherche appelé le questionnaire en gestion de classe (QGC), dont les qualités métrologiques sont solidement démontrées dans le *Manuel d'utilisation du questionnaire en gestion de classe* (voir Nault et Léveillé, 1997).

un travail individuel des élèves en silence, suivi de la formation d'équipes pour une mise en commun. Dans ce sens, l'inventaire le conscientisera, dans sa planification de cours, à l'organisation de routines pour la formation des équipes lors de transitions. Ainsi, il pourra prévoir une organisation spatiale qui permet, d'une part, d'éviter des interférences entre les équipes et, d'autre part, de structurer des consignes claires pour que les élèves puissent exécuter la transition dans un temps limité sans que la pagaille ne s'installe dans la classe. Sur le plan de l'action, l'inventaire lui suggérera qu'il doit demeurer en contrôle du groupe par une surveillance constante de tout ce qui se passe.

Dans un deuxième temps, cet étudiant-maître, après avoir enseigné une leçon, pourra exercer sa pensée réflexive en se servant de l'ICGC. Cette réflexion lui suggérera en rétroaction des cibles pour évaluer les comportements bien réussis ou pour améliorer sa planification, son organisation ou le contrôle de sa classe. Il pourra valider et consolider ses habiletés sur le plan des transitions et chercher à améliorer certaines routines qui se seront avérées moins efficaces.

Le formateur en milieu universitaire

Il est évident que l'ICGC peut aussi servir aux formateurs en milieu universitaire pour introduire à l'intérieur des cours académiques certaines situations concrètes en gestion de classe. En référence aux chapitres portant sur la planification, l'organisation et le contrôle, l'inventaire peut suggérer aux formateurs des thèmes qu'ils illustreront à partir de leurs expériences personnelles ou en se servant de bandes vidéo, afin de mieux faire visualiser les substrats de la gestion de classe.

À titre de suggestion, nous insérons ici le devis du travail sur les transitions qui est demandé aux étudiants universitaires dans le cours PED 349 sur la gestion de classe. L'objectif de ce travail ciblait un contenu spécifique en gestion de classe portant sur les transitions qui, selon les écrits, sont les moments critiques d'une leçon enregistrant le plus grand nombre de pertes de temps d'apprentissage en salle de classe. En conséquence, le cours invitait l'étudiant à consulter sur le site la documentation et le groupe de discussion sur ce thème pour préparer une leçon où il porterait une attention particulière à la planification et à l'organisation, de telle sorte qu'il serait en contrôle des transitions sachant que cette leçon serait enregistrée sur bande vidéo puis, par la suite, analysée à l'aide d'un instrument spécifique par des observateurs externes.

Notre site précise alors les consignes suivantes pour la réalisation de ce travail:

- Faire enregistrer sur bande vidéo une leçon au choix que vous aurez préparée.
- À partir de ce vidéo, isolez les séquences portant sur l'ouverture de cette leçon, la transmission d'une tâche d'apprentissage et la fermeture de cette même leçon.
- Par la suite, visionnez ces trois séquences en compagnie de votre enseignant associé et de votre collègue stagiaire et notez leurs observations en suivant les consignes de la grille GOT pour le codage des comportements des élèves, de vos propres comportements lors de la transmission des consignes de travail, du monitorage (supervision des activités) ainsi que de l'organisation matérielle et spatiale de la classe.
- Dans un rapport écrit de 10 pages maximum accompagné de la bande vidéo de la leçon, résumez vos propres observations ainsi que celles de vos observateurs en répondant aux critères suivants:
  - Comparaison entre les commentaires des trois observateurs (ressemblances et différences) en lien avec les facteurs d'une transition efficace: la durée, le maintien de la continuité dans le déroulement de la leçon, les comportements des élèves qui ne se mettent pas à la tâche, les comportements du stagiaire (hypersensibilité et chevauchement, obtenir l'attention des élèves, transmission des modalités de travail) ainsi que l'organisation matérielle et spatiale de la classe (35 points).
  - Liens entre la planification d'une leçon et la gestion des transitions en salle de classe (15 points).

Ce travail consistait donc en une évaluation tripartite d'une leçon produite par le stagiaire sur bande vidéo. Dans le déroulement du cours PED 349, pour réaliser ce travail, l'étudiant devait d'abord s'initier aux critères présentés dans la grille d'observation des transitions (GOT) qui servirait à l'observation de certaines séquences de sa leçon. Par la suite, le site l'invite à se documenter sur les contenus des savoirs théoriques accompagnés d'études de cas illustrées par une documentation vidéo. C'est à cette occasion, avant même d'entrer en expérimentation dans son stage, que l'étudiant est invité à «parler» dans un groupe de discussion de ses préoccupations ou de ses commentaires, de même qu'il peut prendre connaissance des réflexions de ses collègues ou de certains autres intervenants (professeur, superviseur, enseignant) dans le stage. La technologie utilisée a permis de conserver en mémoire toutes les interactions qui se sont effectuées pendant la phase préparatoire à l'expérimentation.

Le formateur en milieu scolaire

Les formateurs en milieu scolaire pourront aussi se servir de l'ICGC pour diagnostiquer les améliorations à suggérer à leurs stagiaires. Ils pourront cibler rapidement, lors des séances d'observation, les éléments sur lesquels ils feront exercer la pensée réflexive des stagiaires, en les guidant dans ce processus essentiel pour leur développement professionnel. Il serait souhaitable alors que les formateurs dans les écoles demeurent conscients que l'évolution d'un «moi» professionnel se structure en partant des habiletés particulières à chaque individu, et que la pensée réflexive doit puiser dans les ressources personnelles de chaque stagiaire en fonction de chacune des situations. Le formateur en milieu scolaire devrait donc développer une compétence dans ce sens, laquelle, selon notre expérience personnelle dans la supervision des stages, est peu présente chez les enseignants qui accueillent des stagiaires. Le formateur en milieu scolaire ne pourra donc enclencher la pensée réflexive chez son pupille s'il n'a pas développé lui-même ce processus.

L'enseignant en exercice

L'inventaire se veut aussi une aide à l'enseignant en exercice qui veut acquérir une pensée réflexive sur ses actes professionnels, en lui rappelant les principaux concepts qui ont été présentés et illustrés précédemment. De la sorte, il pourra cibler rapidement une difficulté rencontrée dans l'exercice de sa profession. C'est en fonction de ses aptitudes et de sa personnalité que l'enseignant construira une solution personnelle aux difficultés rencontrées et qu'il pourra l'expérimenter dans sa pratique jusqu'à ce qu'il ait trouvé la solution idéale compatible avec son style d'enseignement. Cette utilisation de l'ICGC reflète la situation d'un enseignant en exercice qui voudrait améliorer sa compétence par le processus de la pensée réflexive. Pour découvrir son style de gestion, nous invitons l'enseignant en exercice à s'inscrire à REPI en écrivant l'adresse de ce site. Il pourra ainsi recevoir un portrait assez juste du niveau de contrôle qu'il exerce sur ses élèves.

Un administrateur pédagogique

Enfin, il peut arriver des occasions où, dans une institution scolaire, un conseiller pédagogique ou une direction d'école soit invité à intervenir auprès d'un enseignant en difficulté de gestion de classe. Dans un tel cas, l'ICGC peut offrir un instrument diagnostique rapide pour amorcer un plan de développement professionnel utilisant la pensée réflexive. Cela permettra à l'enseignant de rectifier son tir dans des situations difficiles ou de demander un perfectionnement *ad hoc* en fonction des difficultés identifiées.

Inventaire des Comportements de Gestion de Classe (ICGC)

Thérèse Nault, Ph. D.
Christian Jean Léveillé, Ph. D.

Fonction: ______________ Année(s) d'expérience: _______
Discipline: ______________ Niveau: ____________________

Indiquer sur l'échelle de 0 à 10 le degré de maîtrise que vous avez de chacun des comportements retrouvés dans cette liste.

0 = maîtrise complète
5 = À demi
10 = aucune maîtrise

La planification

La planification est une activité qui tend à systématiser la séquence des actions à faire dans le cadre spatio-temporel d'une salle de classe pour produire l'apprentissage.

Les activités et le matériel	0	1	2	3	4	5	6	7	8	9	10
P.1- Je dresse une liste des activités possibles.	•	•	•	•	•	•	•	•	•	•	•
P.2- Je choisis des activités en congruence avec l'objectif visé.	•	•	•	•	•	•	•	•	•	•	•
P.3- Je détermine la durée de chaque activité.	•	•	•	•	•	•	•	•	•	•	•
P.4- Je planifie des activités supplémentaires en tenant compte des rythmes individuels de travail.	•	•	•	•	•	•	•	•	•	•	•

0 1 2 3 4 5 6 7 8 9 10

P.5- Je dresse une liste du matériel disponible en congruence avec les activités retenues.

P.6- Je vérifie le matériel avant le cours.

P.7- Je planifie l'aménagement physique.

P.8- Je pense à m'abonner à certaines revues professionnelles.

P.9- Je m'organise pour faire régulièrement des sorties culturelles pour moi-même.

P.10- Je pense à m'inscrire comme membre de mon association professionnelle dans mon champ disciplinaire.

L'équilibre dans la participation

P.11- Je planifie autant d'actions pour les élèves que pour l'enseignant.

P.12- Je limite les actions sociales (par exemple: les déplacements, le jasage...).

P.13- J'écris les actions à faire par les élèves chaque fois que je donne une instruction.

La planification (suite)

Les périodes critiques dans une journée	0 1 2 3 4 5 6 7 8 9 10
P.14- Je planifie des activités en fonction des périodes perçues comme critiques (une dernière période, après une activité intense...).	• • • • • • • • • • •

Les moments critiques dans le déroulement d'un enseignement

L'ouverture	0 1 2 3 4 5 6 7 8 9 10
P.15- Je planifie l'accueil de mes élèves.	• • • • • • • • • • •
P.16- Je compose le menu de la leçon.	• • • • • • • • • • •
P.17- Je crée un «babillard-nouvelles» en classe.	• • • • • • • • • • •
P.18- Je planifie la prise des présences à l'aide des plans de classe.	• • • • • • • • • • •
P.19- Je présente l'objectif du cours.	• • • • • • • • • • •
P.20- J'invente un déclencheur (mise en situation).	• • • • • • • • • • •

Les transitions 0 1 2 3 4 5 6 7 8 9 10

P.21- Je planifie le moment des transitions. • • • • • • • • • • •

P.22- Je détermine la fin d'une activité. • • • • • • • • • • •

P.23- Je prévois la durée des transitions. • • • • • • • • • • •

P.24- J'instaure un signal pour arrêter une activité en cours. • • • • • • • • • • •

P.25- Je me procure un instrument pour mesurer le temps. • • • • • • • • • • •

La fermeture

P.26- Je mets en place un signal pour avertir qu'il ne reste que cinq minutes. • • • • • • • • • • •

P.27- Je prépare des questions pour aller chercher le *feed-back* affectif et cognitif de mes élèves sur la leçon. • • • • • • • • • • •

P.28- Je crée un petit test écrit pour vérifier l'atteinte de l'objectif. • • • • • • • • • • •

La planification (suite)

P.29- Je demande aux élèves d'écrire ce qu'ils ont appris durant cet enseignement.

P.30- Je prépare une annonce pour le prochain cours.

L'organisation

L'organisation est une activité qui consiste à identifier et à mettre en place un mode de fonctionnement des plus efficaces et ordonnés pour accomplir le travail à faire en salle de classe tout en répondant aux besoins et aux aptitudes des élèves de façon à ce que ces derniers demeurent assidus au travail sans perte de temps.

Les routines de l'organisation sociale — 0 1 2 3 4 5 6 7 8 9 10

O.1- Je définis mes attentes avec mes élèves. • • • • • • • • • • •

O.2- Je définis ma tâche comme enseignante avec mes élèves. • • • • • • • • • • •

O.3- J'élabore une liste de pertes de privilèges conséquentes aux infractions au code de conduite en classe. • • • • • • • • • • •

	0 1 2 3 4 5 6 7 8 9 10
O.4- Je rédige les principes qui fondent l'existence des règles de conduite de la classe.	• • • • • • • • • • •
O.5- Je présente la façon d'utiliser l'agenda de l'école.	• • • • • • • • • • •
O.6- J'instaure des routines pour l'arrivée des élèves en classe.	• • • • • • • • • • •
O.7- Je prévois un plan de distribution des places pour les élèves.	• • • • • • • • • • •
O.8- Je prévois la disposition du mobilier.	• • • • • • • • • • •
O.9- Je propose un contrat pour le bon fonctionnement au sein de ma classe.	• • • • • • • • • • •
O.10- Je présente une façon de distribuer et de recueillir le matériel.	• • • • • • • • • • •
O.11- Je détermine le moment et la façon de se déplacer en classe (règles de circulation).	• • • • • • • • • • •

L'organisation (suite)

Les routines de l'organisation didactique et matérielle	0 1 2 3 4 5 6 7 8 9 10
O.12- Je définis le mode de travail individuel (lors des lectures silencieuses, des exercices, de la prise de notes...).	• • • • • • • • • • •
O.13- Je définis les modalités pour le travail en équipe:	• • • • • • • • • • •
• les critères de formation;	• • • • • • • • • • •
• les rôles des membres;	• • • • • • • • • • •
• l'évaluation du fonctionnement de l'équipe;	• • • • • • • • • • •
• le climat de travail souhaité.	• • • • • • • • • • •
O.14- Je détermine la méthode des prises de notes.	• • • • • • • • • • •
O.15- Je détermine un plan de présentation des travaux écrits.	• • • • • • • • • • •
O.16- Je rédige les étapes pour réaliser une tâche.	• • • • • • • • • • •
O.17- Je rédige les consignes pour utiliser le matériel.	• • • • • • • • • • •
O.18- Je rédige les stratégies pour exécuter une tâche.	• • • • • • • • • • •

Les routines de l'organisation relationnelle	0	1	2	3	4	5	6	7	8	9	10
O.21- J'établis une routine pour l'élève qui veut poser une question ou y répondre.	•	•	•	•	•	•	•	•	•	•	•
O.22- Je prévois un signal pour obtenir l'écoute des élèves.	•	•	•	•	•	•	•	•	•	•	•
O.23- J'établis la routine: une personne parle, les autres écoutent.	•	•	•	•	•	•	•	•	•	•	•
O.24- J'apprends les prénoms des élèves.	•	•	•	•	•	•	•	•	•	•	•
O.25- Je rédige les questions que je vais poser ainsi que les réponses attendues.	•	•	•	•	•	•	•	•	•	•	•
O.26- Je valorise les réponses des élèves.	•	•	•	•	•	•	•	•	•	•	•
O.27- Je pose autant de questions fermées que de questions ouvertes.	•	•	•	•	•	•	•	•	•	•	•
O.28- Je détermine les temps de discussion.	•	•	•	•	•	•	•	•	•	•	•
O.29- Je précise les routines pour les mises en commun.	•	•	•	•	•	•	•	•	•	•	•
O.30- Je ne parle pas quand les élèves se déplacent.	•	•	•	•	•	•	•	•	•	•	•

Le contrôle

Le contrôle durant l'action est un ensemble d'habiletés, d'observations, d'analyses et d'évaluations qui visent à assurer la conformité des opérations par rapport aux attentes, aux conditions de réalisation prescrites, aux exigences réglementaires et de procédures planifiées préalablement et qui permettent aussi de corriger la situation durant l'action.

Habileté à gérer les comportements des élèves	0 1 2 3 4 5 6 7 8 9 10
C.1- Je clarifie ma tâche et mes attentes dès les premiers contacts avec mes élèves dans un climat de réciprocité.	• • • • • • • • • • •
C.2- Je consulte mes élèves pour établir les routines, les procédures, les règles de conduite ainsi que les conséquences lors d'une infraction.	• • • • • • • • • • •
C.3- Je passe un contrat social (forme écrite) avec mes élèves.	• • • • • • • • • • •
C.4- J'associe les parents de mes élèves à l'entente convenue avec ces derniers.	• • • • • • • • • • •

0 1 2 3 4 5 6 7 8 9 10

C.5- J'enseigne à mes élèves de façon concrète, progressive et explicite le code de vie de l'école et les routines du groupe.

C.6- Je rappelle régulièrement les règles et les routines, surtout dans les premières semaines de classe.

C.7- J'affiche les règles sur les murs du local.

C.8- Je présente les principes qui conditionnent les règles.

C.9- J'interviens dès qu'une règle ou une routine est violée.

C.10- Je note dans un carnet personnalisé les rappels et les comportements inacceptables.

C.11- J'évite toute confrontation avec un élève perturbateur.

C.12- Je fais décrire à l'élève le comportement souhaité.

C.13- Je suggère à l'élève l'adoption de comportements acceptables.

Le contrôle (suite)

*L'hypersensitivité (*withitness*) est la capacité d'être rapide, de connaître tout ce qui se déroule en classe, d'«avoir des yeux tout le tour de la tête».*

Habileté à surveiller: hypersensitivité, chevauchement et mobilité, rétroaction	0 1 2 3 4 5 6 7 8 9 10
C.14- Je balaie régulièrement le groupe du regard.	• • • • • • • • • • •
C.15- J'interviens sur-le-champ auprès d'un élève perturbateur.	• • • • • • • • • • •
C.16- Je maintiens le rythme, j'évite les temps morts.	• • • • • • • • • • •
C.17- J'écris le menu au tableau.	• • • • • • • • • • •
C.18- Je réinvestis le menu pendant le cours.	• • • • • • • • • • •
C.19- J'établis de brefs contacts avec chacun des élèves.	• • • • • • • • • • •
C.20- Je trouve une solution lors d'un dérangement dans le déroulement d'une leçon (prise de décision rapide).	• • • • • • • • • • •

*Le chevauchement (*overlapping*) est l'habileté de gérer plus de deux événements en même temps, de tenir le groupe en alerte, sur le qui-vive.*

0 1 2 3 4 5 6 7 8 9 10

C.21- Je peux mener deux activités en même temps. • • • • • • • • • • •

C.22- Je contrôle les transitions: • • • • • • • • • • •

- en obtenant l'attention des élèves; • • • • • • • • • • •
- en décrivant la tâche étape par étape; • • • • • • • • • • •
- en transmettant les consignes une à la fois; • • • • • • • • • • •
- en prévoyant un travail pour les élèves qui terminent avant le temps prévu; • • • • • • • • • • •
- en précisant les rôles à chacun des élèves. • • • • • • • • • • •

C.23- J'établis un lien entre les activités. • • • • • • • • • • •

C.24- J'utilise toujours les mêmes signaux. • • • • • • • • • • •

Le contrôle (suite)

0 1 2 3 4 5 6 7 8 9 10

C.25- J'équilibre le temps accordé aux différentes activités dans une leçon. • • • • • • • • • • •

C.26- Je ne fais pas d'exposés magistraux de plus de 15 minutes. • • • • • • • • • • •

C.27- J'écris et je dis les mots clés, les consignes... • • • • • • • • • • •

C.28- J'utilise du matériel de présentation varié (transparent, tableau, polycopies, objets...). • • • • • • • • • • •

La mobilité est ce comportement de l'enseignant à stimuler les élèves par sa présence un peu partout dans la classe.

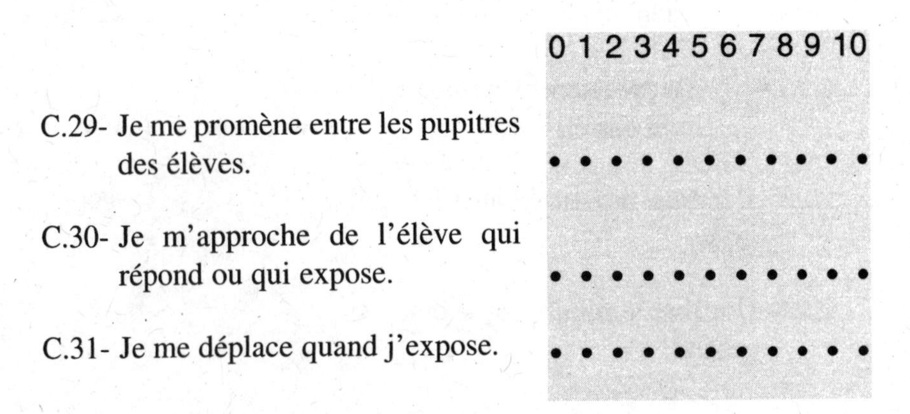

0 1 2 3 4 5 6 7 8 9 10

C.29- Je me promène entre les pupitres des élèves. • • • • • • • • • • •

C.30- Je m'approche de l'élève qui répond ou qui expose. • • • • • • • • • • •

C.31- Je me déplace quand j'expose. • • • • • • • • • • •

L'habileté à rétroagir est une attitude chez l'enseignant qui renforce, valorise et oriente l'élève dans ses comportements et ses travaux.

	0	1	2	3	4	5	6	7	8	9	10
C.32- Je stimule les retardataires.	•	•	•	•	•	•	•	•	•	•	•
C.33- Je renforce les bons comportements.	•	•	•	•	•	•	•	•	•	•	•
C.34- J'encourage le travail bien fait.	•	•	•	•	•	•	•	•	•	•	•
C.35- J'incite les élèves à commenter, critiquer leur travail et celui de leurs pairs.	•	•	•	•	•	•	•	•	•	•	•
C.36- Je demande aux élèves de présenter leurs travaux à la classe.	•	•	•	•	•	•	•	•	•	•	•
C.37- Je situe l'élève dans son cheminement à l'aide d'une fiche de suivi.	•	•	•	•	•	•	•	•	•	•	•
C.38- J'insère l'exposé d'un élève dans le menu.	•	•	•	•	•	•	•	•	•	•	•
C.39- Je demande à un élève d'écrire sa démarche au tableau.	•	•	•	•	•	•	•	•	•	•	•
C.40- Je révèle mon humeur par ma posture.	•	•	•	•	•	•	•	•	•	•	•

Le contrôle (suite)

C.41- J'utilise des gestes pour contrôler certains comportements inacceptables.

C.42- Je souris pour encourager.

C.43- Je fronce les sourcils pour désapprouver.

C.44- Je regarde mes élèves quand je fais un exposé.

C.45- Je ne répète pas plus de deux fois une indication.

C.46- J'utilise le silence pour faire taire les élèves.

Conclusion

La responsabilité qu'on nous avait confiée, d'organiser et de superviser des stagiaires durant leur formation professionnelle, nous a vite sensibilisée au principal problème que rencontraient les enseignants débutants à l'occasion de leur première expérience dans la réalité de l'action. C'est dans le but d'aider ces stagiaires que nous avons préparé un premier guide sous forme de notes polycopiées, qu'avec le temps nous avons nourri de données provenant des écrits scientifiques sur la gestion de classe pour la formation des maîtres.

Nous avons même observé, lors de cette expérience de carrière, que plusieurs enseignants expérimentés qui recevaient des stagiaires présentaient des faiblesses sur le plan de la gestion de classe. Le présent guide est donc un aboutissement logique de cette synthèse de nos expériences personnelles confirmées et complétées par les résultats de recherches publiés surtout dans les écrits de pays anglo-saxons.

Ce guide se veut donc un document d'accompagnement, une sorte de *vade mecum*, non seulement pour le novice mais aussi pour tous ceux qui n'ont pas eu l'occasion dans leur carrière d'être sensibilisés aux principaux éléments de l'habileté à gérer des situations pédagogiques en salle de classe. Ces éléments peuvent être regroupés sous trois thèmes que nous avons présentés dans les chapitres de la planification, de l'organisation et du contrôle. De plus, nous avons insisté sur un mécanisme d'évolution appelé la pensée réflexive dont les cibles peuvent être précisées, selon chaque situation personnelle, à partir d'un inventaire de situations que nous avons appelé l'ICGC.

Selon nous, la gestion de classe est probablement la compétence professionnelle la plus importante à développer au début d'une carrière dans l'enseignement. Cependant, il serait utopique de limiter la compétence professionnelle d'un enseignant à la seule dimension de la gestion de classe. Une deuxième compétence professionnelle importante d'un enseignant efficace serait qu'il maîtrise la matière enseignée. Il est d'une évidence aveuglante qu'un enseignant de français qui commet des fautes d'orthographe d'usage ou d'accord grammatical ne peut être considéré comme compétent. De même en est-il d'un enseignant de mathématiques qui ne saurait résoudre lui-même les exercices qu'il donne à ses élèves. La connaissance de la matière est donc un critère de la compétence professionnelle à enseigner. Mais ce n'est pas tout de connaître la matière, il faut aussi connaître le programme d'études et ses objectifs prescrits en fonction du niveau de la clientèle visée. Ainsi, par exemple, un enseignant de mathématiques, même détenteur d'un doctorat dans cette matière, ne saurait être jugé compétent s'il enseigne à ses élèves un contenu autre que celui qui est commandé par le programme en négligeant de tenir compte de l'évolution des élèves dans sa matière. Il devient donc important de connaître aussi la clientèle, non seulement sur le plan de leur maturation en fonction d'une matière, mais aussi en fonction de leur dimension psychosociologique. Il faut savoir partir du vécu des élèves et de leurs intérêts, faire feu de toute intervention imprévue telle que: événements dramatiques rapportés par les média, événement personnel d'un élève, etc. Il s'agit de profiter de telles situations significatives pour faire cadrer un contenu d'enseignement dans un contexte réel et actuel plus motivant qu'un contexte virtuel, souvent très utopique pour les élèves, qui correspond dans la planification d'un enseignant à ses propres lubies, plutôt qu'à des proximités culturelles et sociales dont les élèves pourraient se souvenir dans des apprentissages permanents. Que ne sommes-nous conscients, en carrière, de collègues, de mentors, qui, inconsciemment, de leçon en leçon, reproduisent éternellement la même mise en situation pour amorcer un enseignement au point que les élèves s'avertissent de génération en génération que tel enseignant à telle occasion fera ci... demandera ça...

Déjà, comme on le voit, la compétence professionnelle est un composite de plusieurs types d'habiletés et la liste de ces habiletés ne saurait être complète si on ne tient pas compte de l'habileté à communiquer et à motiver, de l'habileté à choisir les approches pédagogiques en fonction du contenu enseigné et de la clientèle, de l'habileté à évaluer justement l'évolution d'un élève dans ses dimensions cognitive, affective... Enfin, nous croyons qu'un bon enseignant doit avoir un esprit créatif pour adapter son enseignement, ses approches et son matériel aux différentes situations.

Et il existe une grande diversité de ces moyens de communication. Imaginez France qui, un jour, arrive en classe avec sa guitare (ou un autre instrument de musique) pour jouer un air favori des élèves, ou encore qui annonce une leçon de littérature ou de sciences avec la visite d'un site sur Internet, puis qui, au tableau, caricature une mise en situation en trois jets de craie rapides illustrant magistralement, comme une professionnelle des médias, la situation d'un enseignement, ou qui le fait par l'exploitation d'une mimique étudiée, tel un mime théâtral. Peut-on imaginer alors l'attention des élèves et leur désir de participer à l'événement d'un apprentissage? Dans le contrôle durant l'action, nous avons insisté sur ce mode de communication non verbale de l'enseignant en signalant que chacun devrait découvrir sa propre spécificité en ce domaine.

Tout cet ensemble de composantes qui définissent la compétence professionnelle ne s'acquiert pas spontanément ou n'est pas en nous de façon innée, c'est plutôt le fruit d'un long processus de socialisation professionnelle. Cette compétence peut se développer de façon plus rapide si on est conscientisé d'avance aux pierres d'achoppement qui jonchent le parcours d'une carrière.

La socialisation professionnelle, qui est un concept bien développé dans la théorie d'apprentissage du rôle de l'enseignant, comprend généralement un premier stade dit d'anticipation où le novice vit en rêve l'action future sans tenir compte la plupart du temps des réalités de l'action. Cependant, dès qu'il doit affronter pour la première fois cette réalité de l'action, il progresse vers un deuxième stade que les écrits appellent le «choc de la réalité». C'est alors que les utopies du rêve s'effondrent par morceaux devant la réalité d'un programme nouveau pour lui, d'un matériel didactique inadéquat, d'un local trop exigu ou d'un groupe d'élèves difficiles à maîtriser ou à motiver. C'est dans ce deuxième stade que l'action n'est plus un rêve, que l'absence de routines devient évidente, qu'une transition non planifiée produit un charabia inimaginable. C'est alors que tous les rêves théoriques conduisent à improviser des solutions aux premières difficultés professionnelles, soit par voie d'essais et d'erreurs, ou par un retour à certaines notes de cours universitaires, ou encore par l'imitation aveugle d'un collègue, attitude que nous avons appelée ailleurs conformisme aveugle. Selon qu'il possédera de façon innée la pensée réflexive ou qu'il y aura été initié, il pourra progresser vers une compétence professionnelle en ciblant la cause de ses problèmes et en y remédiant selon ses ressources personnelles qui, souvent, dépendront de son aptitude à devenir créatif.

Par la suite, dans la progression de sa carrière, il pourra atteindre un troisième stade de socialisation que les écrits scientifiques cristallisent sous le vocable de «consolidation expérientielle». C'est à ce stade, croyons-nous, que la pensée réflexive conduit le carriériste à sélectionner les comportements maîtrisés dans toutes les composantes qui constituent la compétence professionnelle. Au-delà de ce stade, l'enseignant exceptionnel qui jouit d'un pouvoir de créativité qu'il veut partager au profit de l'amélioration de la profession peut atteindre un dernier stade de maîtrise où l'activité professionnelle est davantage orientée vers la production de matériel, la création de stratégies d'apprentissage ou l'amélioration de théories à travers un processus de recherche personnel souvent étayé par la synthèse de toute une expérience de carrière reflétant le summum d'une pensée réflexive souvent confrontée à l'expérience et aux recherches des autres en ce domaine.

En définitive, la compétence professionnelle d'un enseignant se développe au cours d'une carrière selon un processus de socialisation qui permet d'intégrer différentes composantes de l'acte d'enseigner dont la gestion de classe peut être considérée comme une des plus importantes, surtout en début de carrière. Le présent guide se veut donc une contribution à l'éclosion d'une carrière ou à l'amélioration des enseignants qui désirent résoudre les difficultés récurrentes à chaque année d'enseignement.

Bibliographie

Albert, L. (1995). Discipline. Is it a dirty word? *Learning*, 24(2), p. 43-46.

Arlin, M. (1979). Teacher transitions can disrupt time flow in classrooms. *American Educational Research Journal*, 16(1), p. 42-56.

Aschner, M. J. McCue (1963). The analysis of verbal interaction in the classroom. *In Theory and Research in Teaching,* A. A. Bellack (dir.). New York: Bureau of Publications, Teachers College, Columbia University.

Borko, H. (1988). Students teachers' planning and post lesson reflections: patterns and implications for teacher preparation. *In* J. Calderhead (dir.), *Teachers' Professional Learning*. Lewes, Angleterre: Falmer Press.

Brophy, J. E. (1984). Research on teaching and teacher education: The interface. *In Research in Education Current Problems and Future Prospects in Canada.* Vancouver, University of British Colombia: The Centre for the Study on Teacher Education, p. 76-92.

Burden P. R. (1995). *Classroom management and discipline: Methods to facilitate cooperation and instruction.* New York: Longman.

Burton, F. et Rousseau, R. (1987). *La planification et l'évaluation des apprentissages.* Québec: Les Éditions Saint-Yves.

Canter, L. (1988). Let the educator beware: A response to Curwin and Mendler. *Educational Leadership*, 46(2), p. 71-73.

Charles, C. M. (1981, 1996). *Building classroom discipline: From models to practice*. New York: Longman.

Curwin, R. L. et Mendler, A. N. (1984). High standards for effective discipline. *Educational Leadership*, 41, p. 75-76.

Dewey, J. (1904). The relation of theory to practice in education. *Third Yearbook of the National Society of Scientific Study of Education*. Chicago: University of Chicago Press.

Doyle, W. (1986). Classroom organization and management. *In Handbook of Research on Teaching (3e éd.)*. New York: Macmillan, p. 392-431.

Doyle, W. et Carter, K. (1984). Academic tasks in classrooms. *Curriculum Inquiry*, 14(2), p. 129-149.

Elliott, J. (1987). Educational theory, practical philosophy and action research. *British Journal of Educational Studies*, 25, p. 149-170

Evertson, C. M. et Weade, R. (1989). Classroom management and teaching style: Instructional stability and variability in two junior high english classrooms. *The Elementary School Journal*, 89(3), p. 379-393.

Fifer, F. L. Jr. (1986). Teacher mobility and classroom management. *The Education Digest*, 52(1), p. 28-29.

Flanders, N. (1970). *Analysing teaching behavior*. Reading, MA: Addison-Wesley.

Gaudet, J. (1995). Quand la gestion des conflits en classe devient une source de développement personnel et social. *Vie pédagogique*, 93, p. 13-14 et 39-40.

Gloeckner, G., Love, C. et Mallette, D. (1995, décembre). *Alternative teaching strategies for the 1990s*. Communication présentée au Congrès annuel de l'American Vocational Association. Denver, CO.

Goldstein, S. (1995). *Understanding and managing children's classroom behavior*. New York: J. Wiley.

Gunter, P., Shores, R., Jack, S., Rasmussen, S. et Flowers, J. (1995). On the move: Using teacher / student proximity to improve student's behavior. *Teaching Exceptional Children*, 28(1), p. 12-14.

Jasmin, D. (1994). *Le Conseil de coopération*. Montréal: Les Éditions de la Chenelière.

Kagan, D. M. (1988). Teaching as clinical problem solving: A critical examination of the analogy and is implications. *Review of Educational Research*, 58(4), p. 482-505.

Kounin, J. S. et Doyle, P. H. (1975). Degree of continuity of a lesson's signal system and the task involvement of children. *Journal of Educational Psychology*, 67(2), p. 159-164.

Kounin, J. S. (1970, 1977). *Discipline and group management in classrooms*. New York: Kriegar.

Kounin, J. S. et Gump, P. V. (1974). Signal systems of lesson setting and task-related behavior of preschool children. *Journal of Educational Psychology*, 66(4), p. 554-562.

Kuceris, M. et Zakariya, S. (1982). Time on task: Using instructional time more effectively. American Association of School Administrators (dir.).

Langevin, L. (1993). *Les petits groupes d'apprentissage*. Montréal: Beauchemin.

Lasley, T. J. et Walker, R. (1986). Time-on-task: How teachers can use class time more effectively. *NASSAP Bulletin*, 70 (490), p. 59-64.

Legendre, R. (1988) *Dictionnaire actuel de l'éducation*. Boucherville, Québec: Librairie Larousse.

Leinhardt, G., Weidman, C. et Hammond, K. M. (1987). Introduction and integration of classroom routines by expert teachers. *Curriculum Inquiry*, 17(2), p. 135-176.

McDaniel, T. R. (1986). A primer on classroom discipline: Principles old and new. *Phi Delta Kappan*, 68(1), p. 63-67.

McDaniel, T. R. (1987). Using positive reinforcement. *The Clearing House*, 53, p. 36-39.

Mohr, L. L. (1995). *Teaching diverse learners in inclusive settings: steps for adapting instruction.* Communication présentée à l'Annual International Convention of the Council for Exceptional Children, p. 1-13.

Moos, R. H. (1974). *A social climate scale manual*. Palo Alto, CA: Consulting Psychologists Press, p. 1-27.

Morris, R. C. et Elliot, J. C. (1985). Understanding alternatives for classroom discipline. *The Clearing House*, 58(9), p. 408-412.

Nault, T. (1993). *Étude exploratoire de l'insertion professionnelle des enseignants débutants au niveau secondaire.* Thèse de doctorat. Montréal: Université de Montréal.

Nault, T. et Léveillé, C. J. (1997). *Manuel d'utilisation du questionnaire en gestion de classe.* Montréal: Les Éditions Logiques.

Patton, G. D. (1981). *Developing Student Discipline Models for Vocational Classroom Usage: A Theoretical Basis.* Montréal, McGill University: Faculté des Sciences de l'Éducation.

Rancifer, J. (1995). *Resolving classroom door: management strategies to eliminate the quick spin.* Communication présentée à la rencontre annuelle de The Southern Regional Association of Teacher Educator.

Rhode, G., R. et Reavis, K. H. (1995). *The tough kid book: Practical classroom management strategies.* Longmont, CO: Sopris West.

Rohrkemper, M. et Corno, L. (1988). Success and failure on classroom tasks: Adaptive learning and classroom teaching. *The Elementary School Journal*, 88(3), p. 297-311.

Schön, D. A. (1983), *The reflective practitioner, How professionals think in action*. New York: Basic Books.

Shenkle, A. M. (1989). The making of a meta-teacher. *Learning*, 17(8), p. 32-33.

Speirs, R. (1994). *Decreasing suspensions in grade nine through twelve through the Implementation of a Peace Curriculum.* Nova University: Ed. D. Practicum.

Stenhouse, L. (1975). *An introduction to curiculum research and development*. Londres: Heineman.

Stevens, R. (1912). *The question as a measure of efficiency in instruction.* New York: Teachers College, Columbia University.

Taba, H. (1967). *Teachers' handbook for elementary social studies*. Palo Alto, CA: Addison-Wesley Publishing Company.

Tye, B. B. (1984). Unfamiliar waters: Let's stop talking and jump. In *Educational Leadership*, 41(6), p. 27-31.

Walker, H. M. (1995). *The acting-out child: Coping with classroom disruption*. Longmont, CO: Sopris West.

Walsh, K. (1986). Classroom rightsand discipline. In *Learning*, 14 (71), p. 66-67.

Wasicsko, M. M. et Ross, S. M. (1982). How to create discipline problems. *The Clearing House*, 26(56), p. 149-152.

Weade, R. et Evertson, C. (1988). The construction of lessons in effective and less effective classrooms. *Teaching and Teacher Education*, 4(3), p. 189-213.

Winne, P. H. (1979). Experiments relating teachers' use of higher cognitive questions to student achievement. *Review of Educational Research*, 49, p. 13-50.

Worsham, M. E. (1983), *Teachers' planning decisions for the beginning of school*. Washington, DC: The University of Texas at Austin, National Institute of Education (ED).

Yinger, R. (1979). Routines in teacher planning. *Theory Into Practice*, 18(3), p. 163-169.

Yorke, D. B. (1988). Norm setting: Rules by and for the students. *Vocational Education Journal*, 63(5), p. 32-33 et 47.

Remerciements

Je tiens à remercier les artisanes de ce document, Colette Flibotte, chargée de cours à l'UQAM, et Claire Guy, enseignante, pour la réalisation de la recension des écrits et l'analyse de journaux de stage d'enseignement.

Je désire également remercier France Dufour, ses élèves et la direction de l'école Chomedey-De Maisonneuve pour les photos qui animent adéquatement certains passages de cet ouvrage.

Je remercie tout spécialement monsieur Jean Léveillé, Ph.D., pour ses précieuses suggestions de corrections qui ont été fort appréciées.

Enfin, merci à Jacques, à Yann et à Valérie pour leur appui inconditionnel tout au long de la rédaction de cet ouvrage.

Achevé d'imprimer au Canada en aout 2007
sur les presses de Quebecor World Saint-Romuald